Newport Community Learning
Libraries

X028580

D1634831

Project Poli

The item should be returned or renewed by the last date stamped below.

Dylid dychwelyd neu adnewyddu'r eitem erbyn y dyddiad olaf sydd wedi'i stampio isod

Newport
CITY COUNCIL
CYNGOR DINAS
Casnewydd

PILLGWENLLY

To renew visit / Adnewyddwch ar
www.newport.gov.uk/libraries

ⓗ Prifysgol Aberystwyth, 2018 ©

Mae hawlfraint ar y deunyddiau hyn ac ni ellir eu hatgynhyrchu na'u cyhoeddi heb ganiatâd ysgrifenedig perchennog yr hawlfraint.

Cyhoeddwyd gan CAA Cymru, Prifysgol Aberystwyth, Plas Gogerddan, Aberystwyth SY23 3EB (www.aber.ac.uk/caa).

Ariennir gan Lywodraeth Cymru fel rhan o'i rhaglen gomisiynu adnoddau addysgu a dysgu Cymraeg a dwyieithog.

ISBN: 978-1-84521-707-5

Golygwyd gan Fflur Aneira Davies a Marian Beech Hughes
Dyluniwyd gan Richard Huw Pritchard
Argraffwyd gan Gomer

Cedwir pob hawl.

Cydnabyddiaethau

Diolch i Dr Carol James, Heulwen Hydref Jones, Marc Jones a Siw Jones am eu harweiniad gwerthfawr. Diolch hefyd i Lisa Morris (Ysgol Glantwymyn) ac Anwen Jervis (Ysgol Llanbrynmair) am dreialu'r deunydd.

Ceir gweithgareddau i gyd-fynd â chwe nofel Cyfres Halibalŵ ar wefan Hwb (addas i CA2; awdur: Siw Jones).

1
Yr ysgol

TOC … TIC … TOC … TIC … TOC …

Gallai Poli daeru fod bys y cloc yn mynd yn ôl yn lle symud ymlaen fel y dylai. Roedd hi'n cymryd tua awr i'r bys eiliad fynd o amgylch y cloc unwaith, neu roedd hi'n teimlo felly beth bynnag.

Dim ond hanner awr oedd ar ôl cyn i wyliau'r haf ddechrau. Hanner awr cyn cael rhyddid. Hanner awr o orfod gwrando ar Mr Llwyd yn parablu ym mlaen y dosbarth am "flwyddyn arall wedi hedfan" … "gwaith gwych ar hyd y flwyddyn" … "gwyliau'r haf yn gyfle i ymlacio" … "ond eto, mor bwysig ydy hi i ymarfer yr ymennydd, fel nad yw holl waith y flwyddyn yn mynd yn ofer – a dyna pam rydw i am ofyn i chi estyn eich llyfr gwaith cartref a …"

"GWAITH CARTREF?" Er i Poli gael sioc o glywed Mr Llwyd yn dweud y fath beth, doedd hi ddim wedi bwriadu bloeddio'r geiriau hyn mor uchel ag y gwnaeth hi. Gallai deimlo pawb yn

edrych arni, gan gynnwys Mr Llwyd.
Dyn tal a thenau oedd Mr Llwyd.
Gwisgai grys llwyd â streipiau llwyd
tywyll drosto, a hwnnw wedi ei wthio'n
dynn ac yn daclus i'w drowsus llwyd nad
oedd yn cyrraedd ei fferau'n llawn, ac
felly'n dangos ei sanau llwyd uwchben ei
esgidiau sgleiniog, llwyd. Roedd ei wallt
a'i sbectol hyd yn oed yn llwyd.

"A, felly roeddet ti yn gwrando arna
i, Poli," meddai Mr Llwyd. "Dwi'n falch
o ddeall fod dy glustiau di'n rhoi sylw i
mi, er bod dy lygaid di wedi eu hoelio ar
y cloc, fel arfer. Mae gen i ychydig o dan
hanner awr i esbonio i chi beth yw natur
y gwaith cartref rydw i am i chi ei wneud
dros wyliau'r haf …"

Doedd y dyn ddim o ddifrif,
meddyliodd Poli. Mi fyddai'n rhaid i
chi fod yn berson ofnadwy o greulon
i wneud y fath beth. Roedd gan Poli
gynlluniau mawr ar gyfer gwyliau'r haf, a
doedd gwneud rhyw waith cartref diflas

ddim yn rhan ohonyn nhw.

"Dwi am i chi greu project …"
eglurodd Mr Llwyd. Roedd pethau'n
mynd o ddrwg i waeth i Poli. Project!
Roedd hynny'n golygu tudalennau ar
dudalennau o waith.

"Project un ai ar eich hoff beth yn
y byd, neu eich casaf beth yn y byd."
Chlywodd Poli erioed beth mor hurt.

Roedd rhyw gyffro yn y dosbarth.
Edrychodd Poli o'i chwmpas a ffieiddio
at yr hyn a welai. Fedrai hi ddim credu'r
peth. Roedd yn ofnadwy, yn arswydus.
Roedd plant yn gwenu. Rhai'n chwerthin.
Rhai'n curo dwylo, yn gyffro i gyd.
Caeodd ei llygaid yn dynn a throi ei phen
i'r cyfeiriad arall. Roedd yr olygfa yn
rhy boenus i edrych arni. Gallai deimlo
cyfog yn codi i'w cheg wrth feddwl am
yr olygfa hunllefus oedd yr ochr arall i'w
llygaid oedd wedi cau. Yn ddall i'r hyn
oedd o'i chwmpas, roedd ei chlustiau
fel petaen nhw'n fwy sensitif i'r sŵn

oedd yn llenwi'r ystafell ddosbarth.

Côr o leisiau'n parablu'n gyflym, yn siarad bymtheg y dwsin wrth drafod eu syniadau, am y gorau i gyflwyno'r syniad gorau. Roedd hi'n anodd iawn troi clust fyddar i'r cyfan. Hyd yn oed â'i dwylo dros ei chlustiau, gallai Poli glywed y geiriau:

"ceffylau",

    "pobi",

        "siopa",

            "mynydda",

                "dawnsio bale".

Allai Poli ddim ond dychmygu (a gobeithio) mai trafod rhai o'u cas bethau oedden nhw. Roedd gwrando arnyn nhw'n swnio mor gynhyrfus yn gwneud i'w chlustiau losgi.

Druan â nhw, meddyliodd. Pa obaith oedd iddyn nhw? Cael eu twyllo i gynhyrfu am rywbeth mor ddiflas â gwaith cartref – doedd ganddyn nhw ddim gobaith o gwbl i lwyddo yn y byd

mawr, y creaduriaid bach. Er iddi weld
a chlywed ymateb cwbl od a brawychus
ei chyfoedion i'r dasg waith cartref,
fyddai Poli *erioed* wedi disgwyl profi'r
hyn a glywodd ychydig funudau'n
ddiweddarach.

"Diolch yn fawr, Mr Llwyd,"
cydganodd rhai aelodau o'i dosbarth.

Diolch? O na … na! Roedd hyn yn
ofnadwy, yn ganwaith gwaeth na'r hyn a
dybiai i ddechrau. Beth oedd yn *bod* ar
rai pobl? Pam ar wyneb y ddaear oedd
rhai'n diolch iddo am dasg a fyddai'n
difetha'r chwe wythnos o wyliau yn
llwyr? Pwrpas y gwyliau haf hir oedd
rhoi digon o amser i'r plant ddod dros
yr holl waith oedd wedi cael ei wneud
yn ystod y flwyddyn. Pam nad oedd neb
ond Poli yn sylweddoli hynny, ac yn
gweld bod beth oedd Mr Llwyd yn gofyn
iddyn nhw ei wneud yn gwbl greulon ac
anghywir? Yn erbyn y gyfraith, efallai.
Wel, os nad oedd un yn bodoli'n barod,

yn sicr fe ddylai fod cyfraith i rwystro athrawon rhag gosod gwaith cartref dros wyliau'r haf … a'r Nadolig … a'r Pasg. Byddai'n eithaf syniad cael cyfraith sy'n stopio unrhyw waith cartref rhag cael ei osod o gwbl, a dweud y gwir – gwyliau neu beidio.

"Dwi'n clywed nifer o syniadau gwych yn hofran o gwmpas yr ystafell," cyhoeddodd Mr Llwyd, er bod ei lais undonog yn awgrymu'n gryf nad oedd y syniadau mor 'wych' â hynny, ac nad oedd yntau mor frwdfrydig â'i ddysgwyr.

"Nawr, beth am i chi lunio dwy golofn, a threulio'r deng munud nesaf yn rhestru eich hoff bethau a'ch cas bethau yn y byd?" meddai.

Plygodd pen Poli i lawr – a hynny am ei bod yn pwdu, nid am ei bod yn canolbwyntio ar y dasg. Rhythodd ar y papur o'i blaen, codi ei phensil a dechrau ysgrifennu.

Hoff bethau	Cas bethau
- Gwyliau'r haf	- Gwaith cartref - Athrawon

2
Y gwyliau

Wythnos yn ddiweddarach, roedd hi'n ddydd Gwener eto. Roedd Poli wedi cael wythnos gyntaf wirioneddol wych i'r gwyliau ac wedi cwblhau'r gêm dditectif newydd hyd at lefel 4 ar y cyfrifiadur yn barod! Ond, bore heddiw, roedd pethau wedi newid. Roedd ei mam wedi dod i wybod am y gwaith cartref ar ôl bod yn siarad â'i deintydd, sef mam Hafwen Haf.

Mae'n debyg bod Hafwen Haf wrth ei bodd gyda'r her ac wedi bod yn gwneud project ar yr adar bach gwyllt oedd yn dod i fwyta briwsion ar ei bwrdd adar yn yr ardd. Roedd ganddi luniau lliw, oedd wedi cael eu tynnu ganddi hi ei hun gyda chamera proffesiynol ei thad, yn ôl y sôn. Roedd hi hefyd wedi creu brasluniau o'r adar â phensil i gyd-fynd â'r llun camera, ac wedi ymchwilio i ffeithiau a gwybodaeth am bob aderyn. Fel petai hynny ddim yn ddigon, yn ôl ei mam, roedd project Hafwen Haf yn un rhyngweithiol hefyd. Wrth bwyso botwm penodol ar bob tudalen oedd yn canolbwyntio ar aderyn gwahanol, roedd hi'n bosib clywed sŵn trydar pob aderyn, gan fod Hafwen Haf wedi recordio eu sŵn dros wythnos gyntaf y gwyliau. Gwastraff amser llwyr oedd hynny, ym marn Poli.

Fel y gallwch ddychmygu, doedd mam Poli ddim yn hapus pan gyrhaeddodd adref ar ôl bod at y deintydd – nid am ei bod wedi gorfod talu llawer o arian i lenwi twll yn un o'r dannedd cefn, ond am fod mam Hafwen

Haf yn awyddus iawn i glywed beth oedd testun project Poli. Wrth gwrs, allai mam Poli ddim ateb gan nad oedd ganddi'r syniad lleiaf am fodolaeth y project! Roedd hi'n flin, a cheisiodd ddwrdio Poli ar ôl cyrraedd adref. Ond fedrai Poli mo'i chymryd o ddifrif gan nad oedd y teimlad wedi llwyr ddod yn ôl i geg ei mam ar ôl y driniaeth, ac felly roedd yn swnio fel petai'n cael llond ceg gan hwyaden. Wrth chwerthin am ei phen, roedd Poli wedi gwneud pethau'n waeth a chafodd ei gyrru i'w hystafell wely gan ei mam.

"Do*ll* i dy lofft, ac mi gei di aro*ll* yno ne*ll* byddi di wedi dechrau ar dy broject! Dwi mor *lliomedig*!"

"Be' fedra i ddweud, heblaw 'mod i mor *llorri*!" gwawdiodd Poli ei mam.

"Do*ll*!" gwaeddodd ei mam, ac i ffwrdd â Poli i fyny'r grisiau i'w hystafell wely a chau'r drws yn glep ar ei hôl. Edrychodd Poli ar y colofnau hoff/cas bethau eto am ysbrydoliaeth. Roedd hi wedi gweithio rhywfaint ar gynnwys y tabl yn ystod wythnos gyntaf ei gwyliau, a bod yn deg:

Hoff bethau	Cas bethau
- Gwyliau'r haf (sydd i fod yn 6 wythnos o wneud dim byd, dim ond ymlacio i ddod dros yr holl wythnosau eraill o waith ysgol caled)	- Gwaith cartref - Athrawon

Doedd hi ddim wedi cael llawer o gyfle i ddatblygu mwy o syniadau na dewis pwnc ar gyfer y project. Roedd hi wedi bod mor brysur gyda'r gêm gyfrifiadur newydd, yn reidio'i beic (yr un a gafodd yn anrheg Nadolig ond bod tywydd gwlyb Cymru wedi ei rhwystro rhag ei ddefnyddio cymaint ag yr hoffai), ac yn dringo coed. Roedd syrcas wedi cyrraedd y dref am yr haf hefyd, ac roedd Poli'n gobeithio cael gair â rhywun pan fyddai yno'n gwylio'r perfformiad i weld a fyddai'n bosib iddi gael swydd dros yr haf yn bwydo'r eliffantod neu'n hyfforddi'r teigrod.

Rhaid felly oedd bodloni ar un o'r syniadau oedd ganddi'n barod.

Dewis 1: Dwi'n caru gwyliau'r haf (sydd i fod yn 6 wythnos o wneud dim byd, dim ond ymlacio i ddod dros yr holl wythnosau eraill o waith ysgol caled)

Byddai'n bosib iddi roi tudalen am bob diddordeb oedd ganddi. Byddai'n siŵr o lenwi tua deg tudalen ar ei rhesymau pam mae gwyliau'r haf mor wych, a deg arall yn esbonio pam y dylid cadw pob dydd ar gyfer gweithgareddau ymlacio a hamdden yn unig.

Dewis 2 : Mae'n gas gen i waith cartref

Dyma'r syniad oedd yn apelio fwyaf at Poli gan mai dyma'r un yr oedd hi fwyaf angerddol amdano. Y broblem oedd – beth mwy oedd i'w ddweud na hyn? Go brin y byddai angen tudalen i ymhelaethu, heb sôn am broject cyfan.

Dewis 3 : Mae'n gas gen i athrawon

Unwaith eto, testun oedd yn agos iawn at galon Poli – yn enwedig wedi i Mr Llwyd ddifetha'r holl haf gyda'r dasg wirion hon. Ond eto, beth mwy oedd i'w ddweud mewn gwirionedd na hynny?

Mae'n debyg y byddai'n bosib iddi roi tudalen gyfan i bob athro roedd hi'n ei gasáu. Dwy dudalen i Mr Llwyd o bosib. Mae'n siŵr y gallai lenwi dwy dudalen hefyd yn sôn am Mrs Tomos, sef yr athrawes oedd yn dysgu pawb i ganu yn yr ysgol. Doedd Poli ddim yn or-hoff ohoni ers iddi orfodi Poli i fod mewn Parti Unsain ar gyfer rhyw eisteddfod y llynedd, ac ar ôl mynnu fod Poli yn rhan o'r parti yn erbyn ei hewyllys, gofyn iddi feimio yn hytrach na chanu go iawn.

Yna, gallai lenwi tudalen am Mr Smith Sbectol Sgwâr, sef arbenigwr cyfrifiaduron ac offer technoleg gwybodaeth yr ysgol. Nid ei fod wedi gwneud unrhyw beth penodol o'i le i achosi i Poli ei gasáu oherwydd, a bod yn deg ag o, doedd o byth yn dweud bw na be wrth y plant. Ond roedd Poli eisoes wedi penderfynu ei bod yn casáu athrawon yn gyffredinol, felly doedd dim dewis ond ei gynnwys yn ei phroject.

Sut allai hi anghofio am y Pennaeth wedyn – Mrs Blaidd (Mrs Bleddyn oedd ei henw go iawn ond doedd neb o'r plant yn ei galw hi'n hynny, dim ond i'w hwyneb)? Roedd hi'n ddigon i godi dychryn ar yr holl blant a'u rhieni, a bod yn onest. Mae'n debyg ei bod hi wedi bod yn athrawes ar rieni'r rhan fwyaf o blant yr ysgol gan ei bod yno ers cyn cof, ac roedd rhai straeon digon arswydus amdani.

Roedd sôn, er enghraifft, amdani'n cloi plentyn (mab i ffrind modryb cefnder y dyn oedd yn byw drws nesaf i Tomos, oedd yn yr un dosbarth â Poli) yn y stordy am benwythnos cyfan, am iddo roi min ar ei bensil a methu'r bin wrth naddu. Roedd Alun, oedd hefyd yn yr un dosbarth â Poli, yn taeru iddo glywed bod Mrs Blaidd wedi bwyta merch yn fyw am iddi wisgo'i chôt goch yn y dosbarth. Ond roedd Poli yn eithaf siŵr nad oedd hynny'n wir ac mai drysu oedd Alun rhwng realiti a'r blaidd yn stori'r Hugan Fach Goch.

Erbyn meddwl, roedd digon o botensial mewn project ar y testun 'Mae'n gas gen i athrawon!' Roedd Poli bron fel petai'n dechrau cyffroi am y syniad … ond fyddai hi byth yn cyfaddef hynny, yn amlwg. Yr unig beth oedd yn ei phoeni oedd na fyddai ganddi ddigon o wybodaeth am yr athrawon er mwyn ysgrifennu amdanyn nhw. Wedi'r cyfan, doedd hi'n gwybod dim amdanyn nhw, heblaw'r hyn roedden nhw'n ei wneud yn yr ysgol a beth oedden nhw'n tueddu i'w wisgo. Mae'n debyg y gallai ddyfalu beth oedd oedran pob un ohonyn nhw.

Er mwyn i'r project fod yn ddiddorol, byddai'n rhaid iddi wneud ychydig o waith ymchwil a dod o hyd i wybodaeth ddifyr amdanyn nhw. Byddai angen darganfod beth oedd eu diddordebau a ble roedden nhw'n byw, er enghraifft.

Ond roedd hynny'n swnio'n weddol amhosib, heb iddi fynd i ysbïo arnyn nhw yn ystod y gwyliau, a byddai hynny'n ei thynnu oddi wrth ei huchelgais i gwblhau'r gêm dditectif newydd ar y cyfrifiadur cyn diwedd y gwyliau. Wedi dweud hynny, yr un peth fyddai hi'n ei wneud yn y ddau. Byddai ysbïo ar ei hathrawon yr un fath â'r hyn fyddai'n ei wneud yn y gêm i raddau, ond ei bod yn ei wneud go iawn, ac nid yn smalio fel ar y sgrin! Efallai y byddai'r gwaith cartref yn fwy o hwyl nag yr oedd hi wedi tybio!

3
Y project

Project Poli

Mae'n GAS gen i athrawon!

Astudiaeth o athrawon a'u bywydau diflas yn yr ysgol a'r tu allan i'r ysgol

Pam eu bod mor ddifrifol am bob dim?

Sut a pham maen nhw mor benderfynol
o ddifetha hwyl pob plentyn?

Oes ganddyn nhw ddiddordebau eraill
heblaw am farcio, gwgu a rhoi llond ceg
i blant?

Oes ganddyn nhw eu ffefrynnau o ran
plant yn y dosbarth?
(Oes, wrth gwrs!)

Ydy hi'n wir eu bod nhw'n cysgu yn
eu stordai a byth yn gadael adeilad yr
ysgol o un dydd i'r llall?

4
Mr Llwyd

Athro 1: Mr Llwyd

Enw Llawn: Mr Clwyd Llwyd

Oed: Tua 72?

Hoff ddillad: Unrhyw beth a phopeth llwyd. O'i esgidiau i ffrâm ei sbectol. Erioed wedi cael ei weld yn gwisgo dilledyn o unrhyw liw arall yn yr ysgol.

Cyfeiriad:

Diddordebau: Gosod gwaith cartref

Ffeithiau: Mae'n cael pleser mawr o geisio gwneud ein bywydau ni'r plant mor llwyd ag ydy o, drwy bentyrru gwaith cartref arnom ni. Hyd yn oed yn ystod y gwyliau (a dwi'n siŵr bod hynny yn erbyn rhyw gyfraith).

Nid yw'n defnyddio beiro goch i farcio ein gwaith, ond yn hytrach yn defnyddio pensil (am ei fod yn llwyd, siŵr o fod).

*   *   *

Roedd bylchau i'w llenwi ym mhroffil Mr Llwyd ac felly roedd yr awr fawr wedi cyrraedd i Poli wisgo'i gwisg ditectif, sef y gôt laes o gwpwrdd dillad ei thad

dros ei hoff bâr o jîns â'r rhwyg o dan y
ben-glin, a chrys T Cymru. Edrychodd
arni ei hun yn y drych. Doedd hi'n
edrych yn fawr o dditectif heb yr oriawr
roedd hi wedi gobeithio'i chael – yr un
a welodd ar y we oedd hefyd yn fap,
â'r gallu i ddilyn symudiadau unrhyw
gar arno, dim ond i chi gynnwys rhif
cofrestru'r car. Doedd ganddi ddim digon
o arian yn ei chadw-mi-gei i brynu un o'r
rheini gan eu bod yn costio swm hollol
chwerthinllyd o arian.

Rhaid hefyd oedd bodloni ar sbectol
haul gyffredin yn lle'r rhai â dyfais ffilmio
wedi ei hadeiladu i mewn iddyn nhw, gan
fod y rhai a welodd ar y we yn cymryd
bron i wyth wythnos i gael eu cludo o
Hong Kong i'w chartref. Byddai hynny'n
llawer rhy hwyr. Er na fyddai'r sbectol
haul gyffredin yn ffilmio unrhyw beth,
byddai'n ffordd o guddio rhywfaint ar ei
hwyneb o leiaf, ac yn golygu na fyddai
Mr Llwyd yn gweld ei bod hi'n edrych

arno drwy ffenestri tywyll y sbectol.

Gwnaeth ymdrech amlwg i osgoi gwisgo unrhyw ddilledyn llwyd, rhag tynnu sylw Mr Llwyd. Ar ei thraed, gwisgodd ei hesgidiau coch cyfforddus – gallai redeg yn gyflym yn rheini petai Mr Llwyd yn sylwi bod rhywun yn ei ddilyn, neu os oedd o'n gyrru i ffwrdd yn y car a bod angen iddi hi ei ddilyn. Gwisgodd gap pig ar ei phen a thorchi ei gwallt i lawr heibio coler ei chôt a oedd wedi ei chodi'n uchel at ei chlustiau.

Cyn gadael y tŷ, aeth i chwilio a chwalu am hen bapur newydd – prop hollbwysig ar gyfer unrhyw dditectif gwerth ei halen – er mwyn smalio'i ddarllen trwy'r sbectol haul. Ond, mewn gwirionedd, roedd yn golygu y gallai edrych ar bawb a phopeth o'i chwmpas, cyn belled â'i bod yn cadw ei phen yn llonydd. Ymhen ychydig funudau roedd hi'n dditectif yn y dref, a hynny heb fod gan unrhyw un o'i chwmpas y syniad lleiaf a neb yn amau dim.

"Ffiw!" mwmiodd Poli dan ei gwynt wrth iddi eistedd i lawr ym marc y dref. Roedd yn ddiwrnod chwilboeth a dim mymryn o awel – nid y diwrnod gorau ar gyfer gwisgo côt laes. Sut ar wyneb y ddaear oedd ysbïwyr llawn amser yn gallu dioddef gweithio mewn gwisg fel hon yn y fath dywydd? Doedd y gwaith ymchwil ar gyfer ei phroject ddim wedi bod yn hanner cymaint o hwyl ag yr oedd hi wedi ei obeithio. Roedd hi wedi treulio hanner awr gyfan yn crwydro strydoedd y dref heb unrhyw lwc.

Tasai hi ddim ond yn gwybod ble i ddechrau chwilio am gartref Mr Llwyd. Roedd bod yn dditectif yn llawer haws yn y gêm gyfrifiadurol, meddyliodd Poli, a'i brwdfrydedd a'i hangerdd tuag at y gwaith ysbïo yn cilio fesul munud. Roedd hi ar fin ystyried rhoi'r ffidil yn y to pan gipiwyd ei sylw gan gi bach oedd wedi dod i arogleuo gwadn ei hesgid. Roedd o'n beth bach del dros ben, ond nid yn y ffordd arferol, gan fod ei lygaid anarferol o fawr a'i drwyn hynod o hir yn gwneud i'r peth bach edrych yn debycach i lygoden na chi. Doedd y ffaith bod y creadur bach yn llwyd o'i gorun i'w sawdl

ddim yn ei helpu o ran ei edrychiad
llygoden-llyd. Doedd dim un blewyn
gwyn ar gyfyl ei gorff.

"Ffyrgi!" galwodd llais oedd yn
gyfarwydd iawn i Poli. Roedd yn ceisio
cael sylw'r ci bach.

"Ffyrgi! Tyrd yma! Tyrd yma, Ffyrgi
bach!" galwodd y llais cyfarwydd eto.

Roedd hi wedi clywed y llais hwn
yn gweiddi o'r blaen, nid yn gweiddi ar
y ci ond yn gweiddi arni hi. Mr Llwyd!
Ymbalfalodd am ei phapur newydd,
ei agor ar frys a'i ddal o'i blaen rhag i'r
gŵr mewn tracwisg lwyd ei hadnabod.
Ceisiodd ymddangos mor broffesiynol â
phosib, gan sbecian dros y papur newydd
a thrwy ei sbectol haul.

Ar fy ngwir! meddyliodd Poli. Mae
ganddo fo gap pig llwyd, hyd yn oed.

"Ffyrgi!" galwodd Mr Llwyd yn uwch
ar ei Ffyrgi bach llwyd gan geisio cuddio'r
ofn yn ei lais. Roedd yn ddrwgdybus
iawn o'r gŵr ifanc amheus yr olwg yr

oedd Ffyrgi wedi bod yn ffroeni ei
esgidiau. Lleidr cŵn, siŵr o fod, tybiodd.
Doedd yn sicr ddim yno i ddarllen
ac yntau'n dal ei bapur newydd ben i
waered.

*   *   *

Ll … ll … ll … ll!

Roedd Poli'n benderfynol o gael pob
dropyn o'r ddiod o waelod y gwydryn
drwy'r gwelltyn. Roedd hi wedi prynu
ysgytlaeth mawr iddi ei hun i ddathlu
llwyddiant pennod gyntaf y gwaith
cartref, a hynny mewn caffi bach oedd yn
union gyferbyn â chartref Mr Llwyd.

Roedd tŷ Mr Llwyd wedi ei leoli
ar stryd Bryn Gwyn. Roedd hynny
wedi taro Poli'n od iawn i ddechrau, ei
fod wedi dewis byw mewn stryd oedd
â chysylltiad â lliw gwahanol i lwyd.
Roedd popeth yn gwneud synnwyr, fodd
bynnag, ar ôl iddi weld mai enw ei gartref

oedd Tŷ Du. Wedi'r cwbl, mae pawb yn gwybod bod du a gwyn yn cymysgu i wneud llwyd.

Estynnodd y llawlyfr bach o'i phoced a gwneud ychwanegiadau i broffil Mr Llwyd. Gallai ychwanegu ei gyfeiriad: Tŷ Du, Bryn Gwyn. Gallai hefyd ychwanegu diddordeb arall yn ei amser hamdden, sef mynd â'i gi bach llwyd, Ffyrgi, am dro. Am amlwg!

Tua'r un pryd ag yr agorodd Poli ddrws y caffi i adael, agorodd drws Tŷ Du a gwelodd Poli ei hathro yn sleifio allan o'r tŷ, a Ffyrgi yn dynn wrth ei sodlau ar dennyn.

Mynd am dro, eto? O fewn hanner awr i'r tro diwethaf? meddyliodd Poli.

Ond roedd Mr Llwyd yn edrych yn wahanol y tro hwn. Er mai'r un cap pig llwyd yr oedd o'n ei wisgo, roedd yn gwisgo côt laes – un ddigon tebyg i'r gôt a wisgai Poli, ond ei bod yn gôt llwyd, wrth gwrs. Roedd rhywbeth arall yn wahanol amdano … roedd o'n gwenu! Rhyfeddodd Poli at yr olygfa brin o'i blaen. Pwy fyddai'n meddwl bod Mr Llwyd yn gallu gwenu? Fyddai ei ffrindiau yn yr ysgol byth yn credu hyn. Pam oedd o'n gwenu tybed? Beth oedd yn ei wneud mor hapus?

Roedd yn brasgamu i lawr y stryd, bron nad oedd yn sgipio. Penderfynodd Poli y byddai'n werth ei ddilyn unwaith eto, i weld i ble roedd o'n mynd. Roedd yn amlwg yn gyffro i gyd ac yn edrych ymlaen. Brysiodd Poli ar ei ôl â'i gwynt yn ei dwrn, gan fod yn barod hefyd i blygu i lawr i smalio cau ei chareiau, petai Mr Llwyd yn digwydd troi ei ben. O fewn tri munud, roedd Poli wedi 'cau ei chareiau' chwe gwaith.

Mr Llwyd

Project Poli

5
O, Mam bach!

Doedd Mr Llwyd a Ffyrgi ddim yn mynd i'r parc y tro hwn. Roedd Poli, ditectif gorau'r ganrif, yn gwybod hynny gan eu bod wedi cerdded heibio'r parc. Doedden nhw ddim chwaith yn mynd i brynu swper i'w gario adref gan eu bod wedi pasio Sglods (y siop pysgod a sglodion) a Ling-di-long (y bwyty Tsieineaidd), a doedd nunlle arall i brynu pryd o fwyd poeth yn y dref, heblaw am y caffi gyferbyn â'i dŷ ei hun.

I ble yn y byd felly allaen nhw fod yn mynd? Roedden nhw wedi cerdded heibio'r llyfrgell, heibio'r siop wag â'i ffenestri wedi eu plastro â phosteri'r syrcas oedd yn y dref, heibio'r fferm gymunedol, y dafarn, neuadd y dref a'r eglwys. Roedden nhw'n cerdded i gyfeiriad Cae Glas, sef darn o dir agored oedd ar gyrion y dref. Doedd fawr ddim yn digwydd yma, ac eithrio'r sioe arddio flynyddol oedd yn cael ei chynnal yno bob mis Mai, y ffair Nadolig ym mis Rhagfyr, a'r syrcas tua'r adeg hon o'r flwyddyn …

Hold on, Defi John, meddyliodd Poli. Tybed oedd Mr Llwyd yn mynd i'r syrcas heno? Doedd bosib y byddai person mor llwyd ag o'n mwynhau mynd i le mor … lliwgar! Ond pam cychwyn yno mor gynnar? Roedd awr a mwy hyd nes byddai'r syrcas yn dechrau. Oedd o'n gymaint o 'ffan' o'r syrcas fel ei fod eisiau eistedd yn y rhes flaen? Byddai Ffyrgi'n gallu gweld popeth yn glir o'r rhes flaen hefyd, mae'n debyg. Roedd yn rhaid iddi gael cadarnhad o hyn, a doedd dim ond un ffordd o wneud hynny. Parhau i'w ddilyn.

"POLI PREIS!" Bu bron i'r ditectif bach neidio o'i chroen pan glywodd y llais yn bloeddio y tu ôl iddi. Llais ei mam. "Roeddet ti i fod adre dros chwarter awr yn ôl! Dwi wedi bod yn poeni amdanat ti."

A hithau wedi ei hudo i fyd y ditectif, roedd Poli wedi anghofio popeth am gadw llygad ar yr amser ar ei horiawr syml (oedd ddim yn cynnwys map nac yn gallu dilyn symudiad unrhyw gar).

"Tyrd yn dy flaen, neu mi fydd dy swper di wedi oeri!" meddai ei mam, gan wthio Poli'n ysgafn i gyfeiriad ei chartref.

"Be' sydd 'na i swper?" holodd Poli, a'i stumog yn dal i fod yn weddol lawn o ysgytlaeth.

"Salad ham," atebodd y fam.

"Sut all hwnnw fynd yn oer? Mae salad wastad yn oer!" meddai Poli.

"Taw â dy lol, a hel dy draed am adre, Poli," brathodd Mam.

*　　*　　*

Wrthi'n pendroni yr oedd Poli a oedd hi am ychwanegu'r syrcas at ddiddordebau Mr Llwyd (er nad oedd ganddi dystiolaeth bendant mai yno roedd o'n mynd), pan ofynnodd Mam:

"Wyt ti wedi dechrau ar dy waith cartref erbyn hyn?"

Roedd hi'n clirio'r platiau oddi ar y bwrdd wrth ofyn y cwestiwn, a rhyw olwg ddidaro ar ei hwyneb, fel petai wedi penderfynu yn barod beth fyddai ateb Poli ac wedi paratoi ei hun am siom.

"Do," atebodd Poli. Bu bron i Mam ollwng y platiau mewn sioc.

"Go iawn?" meddai Mam, gan droi i edrych i gyfeiriad Poli, ond yn boenus o araf, rhag ofn iddi ddifetha'r hyn roedd hi newydd ei glywed, a deffro o ryw freuddwyd.

"Do. Mae gen i syniad, a dwi wedi dechrau ar y bennod gyntaf." Cododd Poli oddi wrth y bwrdd a chlirio'i phlât ei hun.

"Wel, be' ydy thema dy broject di?" gofynnodd Mam ar ôl sefyll yn gegagored am eiliad neu ddwy.

Rhewodd Poli. Allai hi ddim dweud y gwir. Byddai ei mam yn siŵr o roi stop ar y project petai'n dod i ddeall mai'r teitl oedd 'Mae'n gas gen i athrawon!'

Ceisiodd feddwl ar ei thraed.

"Project aaaaaam … anifeiliaid," meddai.

Bingo! meddyliodd. Doedd hynny ddim yn gelwydd gan fod cyfeiriad at anifail yn y project – Ffyrgi, y ci bach llwyd.

Crychu ei thrwyn wnaeth Mam. Roedd hi braidd yn siomedig yn niffyg dychymyg a gwreiddioldeb ei merch, ond doedd hi ddim am ddangos hynny. Wedi'r cwbl, roedd yn wych o beth fod

Poli wedi dechrau ar y gwaith.

"O, da iawn … dwi'n siŵr y bydd yn … ddiddorol iawn," meddai Mam. "Wyt ti am i mi gael golwg ar yr hyn sydd gen ti'n barod?"

"Na!" torrodd Poli ar ei thraws, cyn sylwi iddi fod braidd yn rhy fyrbwyll.

Gwenodd ar ei mam a dweud, "Fy ngwaith cartref *i* ydy o, a dwi'n ddigon atebol. Does dim angen help arna i."

"Wel …" meddai Mam â thinc drwgdybus yn ei llais, "os wyt ti'n siŵr. Ond cofia, os oes rhywbeth fedra i ei wneud i dy helpu …"

Cafodd Poli syniad ardderchog.

"Oes, mae rhywbeth fedri di ei wneud i fy helpu, a dweud y gwir," eglurodd Poli. "Ro'n i wedi cael y syniad o ysgrifennu pennod ar anifeiliaid oedd yn gweithio yn y syrcas. Fedri di fynd â fi i'r syrcas sydd yn Cae Glas, plis, er mwyn i mi wneud ymchwil ar y llewod a'r eliffantod?"

Synnodd pan welodd ei mam yn chwerthin.

"O, Poli fach. Does dim anifeiliaid yn y syrcas yma, siŵr iawn. Byddai cadw anifeiliaid gwyllt i berfformio a theithio o syrcas i syrcas yn greulon iawn. Yn anfoesol. Syrcas heb anifeiliaid ydy'r un sydd wedi dod i'r dre."

Doedd Poli ddim yn hollol siŵr beth oedd wedi ei siomi fwyaf:

1) y ffaith nad oedd ci chynllun i gael mynd i weld a oedd Mr Llwyd yng nghynulleidfa'r syrcas wedi gweithio;

neu

2) nad oedd unrhyw obaith iddi gael swydd dros yr haf yn bwydo'r eliffantod neu'n hyfforddi'r teigrod.

Sylwodd Mam fod ei merch wedi ei siomi a doedd hi ddim yn hoffi ei gweld yn benisel, yn enwedig a hithau wedi gwneud cam cyntaf mor gadarnhaol gyda'i gwaith cartref a dangos yr awydd i wneud ychydig o waith ymchwil.

"Gwranda," meddai Mam. "Be' am i ni fynd i'r syrcas beth bynnag, fel gwobr i ti am fod wedi dechrau ar dy waith cartref? Efallai y gallet ti sôn yn dy broject pa mor effeithiol ydy syrcas *heb* anifeiliaid?"

Lledodd gwên fawr ar draws wyneb Poli. Roedd hyn yn wych! meddyliodd. Roedd y syrcas yn siŵr o fod yn hwyl, ac ar ben hynny, byddai ganddi dystiolaeth – gobeithio – fod Mr Llwyd hefyd yn mwynhau mynd i'r syrcas!

6
Llwyd lliwgar

Eisteddai Poli yn gyffro i gyd mewn sedd ym mhedwaredd res y babell fawr gron, streipiog oedd yn sefyll yn dalog yng nghanol Cae Glas, ymysg nifer o lorïau trymion a charafannau. Roedd awyrgylch o fwrlwm yn y babell, gyda phobl a phlant yn dal i gyrraedd, rhai'n gweiddi o'u seddi i dynnu sylw ffrind neu aelod o'r teulu oedd wedi cyrraedd ychydig yn hwyr. Roedd arogl melys yn llenwi'r lle – yr arogl oedd wedi hudo Mam o'i sedd i fynd i brynu llond bag o'r candi fflos meddal a melys oedd yn gyfrifol am yr arogl arbennig. Yn gyfeiliant i'r holl gynnwrf roedd cerddoriaeth fel ffanffer uchel yn atseinio ar draws y babell.

Yn sefyll yng nghanol y llwyfan, yn edrych yn hynod o grand mewn côt laes goch a het uchel ddu, roedd un o'r dynion talaf a welodd Poli erioed. Y cylchfeistr oedd hwn. Roedd o'n cadw golwg barcud ar bopeth oedd yn digwydd o'i gwmpas ac yn gwneud yn siŵr fod popeth yn rhedeg yn esmwyth, â'i gefn yn sythach na syth a gwên falch ar ei wyneb.

Nid y cylchfeistr oedd yr unig un oedd wedi bod yn astudio'r wynebau yn y gynulleidfa, gan fod Poli hithau wedi bod yn craffu'n ofalus ar wynebau pawb oedd wedi tyrru i'r babell er mwyn ceisio dod o hyd i Mr Llwyd. Roedd hi wedi edrych ar hyd pob rhes, o'r rhes flaen i'r rhes gefn, a doedd dim golwg o'i hen wep lwyd yn unman.

Wrth i Mam ddychwelyd i'w sedd a rhoi llond bag plastig o gandi fflos i Poli,

pylodd y golau yn ddüwch llwyr gan
achosi 'Wwwwww' hir gan y gynulleidfa.
Daeth curiad drwm dramatig a chylch
perffaith o olau i oleuo'r cylchfeistr wrth
iddo floeddio:

"Foneddigion a Boneddigesau,
croeso mawr i chi, un ac oll, i'r anhygoel,
arbennig, ardderchog, Syrcas Fawr y
Ganrif!"

Ar hyn, fe ffrwydrodd y babell yn
llythrennol â fflamau tân yn rhuo ar hyd
blaen y llwyfan a disgynnodd cawod o
gonffeti aur ac arian o'r nenfwd. Yna,
ymddangosodd pedwar acrobat o rywle
ar raffau o'r nenfwd, yn hedfan o un
siglen i'r llall a heibio'i gilydd, yn union
fel petaen nhw'n dawnsio yn yr awyr.
Yn ychwanegol at hyn oll, roedd dros
ugain o offerynwyr yn gwisgo dillad coch
(digon tebyg i wisg y cylchfeistr, ond bod
y siacedi yn fyrrach o lawer a'r hetiau'n
goch) yn gorymdeithio i lawr y grisiau
heibio'r gynulleidfa. Roedd gan bob un

ohonyn nhw offeryn pres neu offeryn
taro, ac roedden nhw'n creu cyfeiliant a
oedd yn cyd-fynd yn berffaith â'r wledd
i'r llygaid yn y babell fawr hon.

Llanwodd Poli ei cheg agored â llond
llaw o'r cwmwl pinc llawn siwgr o'r bag

plastig. Roedd hyn yn wych! Eisteddodd yn ôl, mwynhau ac anghofio popeth am Mr Llwyd a'r project.

*   *   *

Roedd y perfformiadau yn y syrcas wedi bod yn un 'waw' ar ôl y llall. Ar ôl iddyn nhw hedfan o gwmpas ar siglenni yn yr awyr, roedd yr acrobatiaid wedi dod i lawr i'r ddaear ac wedi bod yn diddanu'r gynulleidfa drwy greu campau, siapiau a thyrau uchel â'u cyrff, gan ddringo ar y naill a'r llall. Mae'n rhaid eu bod nhw mor ysgafn â chandi fflos, meddyliodd Poli, iddyn nhw allu cael eu hyrddio i'r awyr a'u dal drachefn fel hyn.

Roedd dynes mewn gwisg nofio goch wedi dod i ganol y llwyfan i fwyta tân. Fedrai Poli ddim deall pam ei bod wedi dewis gwisgo gwisg nofio, a hithau ddim am fynd yn agos at ddŵr, ond erbyn meddwl, mae'n debyg y byddai'r holl fwyta tân yn siŵr o wneud iddi deimlo'n boeth, ac y byddai'r wisg nofio yn ei hoeri.

Rhwng pob tric gan bob perfformiwr, byddai'r cylchfeistr yn atgoffa'r gynulleidfa i beidio â rhoi cynnig ar hyn eu hunain. Hy! Pa mor wirion oedd o'n feddwl oedden ni? Doedd dim ffiars o beryg fod Poli am ddechrau bwyta tân, yn enwedig â'r candi fflos oedd ganddi mor flasus.

Roedd dyn cryf (a chyhyrau ei freichiau yn fwy o ran maint na'i wyneb, bron) wedi bod yn dangos ei hun yn codi offer trwm, gan gynnwys un polyn haearn hir a llydan. Roedd dau acrobat yn sefyll ar y polyn – un ar bob pen iddo – a dau arall yn hongian oddi arno wyneb i waered fel ystlumod, yn smalio darllen llyfr. Llwyddodd y dyn cryf i godi'r cyfan i fyny'n uchel, a gwneud i'r cyfan gydbwyso ar ei ben!

Wrth i'r dyn cryf adael drwy'r

llenni cochion ysblennydd yng nghefn
y llwyfan, ymddangosodd tri chlown.
Roedd y rhain yn ddigri iawn yn rhedeg
ar ôl ei gilydd hyd nes i'r cyntaf blygu
i lawr yn sydyn i gau'r careiau ar ei
esgidiau tua metr o hyd, gan achosi
i'r ddau arall ddisgyn a rholio drosto!
Chwarddodd Poli mor uchel nes i damaid
o gandi fflos neidio o'i cheg a glanio ar
ben moel y gŵr oedd yn eistedd o'i blaen.
Sylwodd o ddim ac acth Poli yn ei blaen i
chwerthin a chnoi bob yn ail.

Roedd y tri doniol yma'n cael cymaint
o hwyl yn syrthio blith draphlith dros
ei gilydd. Roedden nhw wedi bod yn
jyglo hefyd, a hynny fel cystadleuaeth
rhwng y tri – y cyntaf yn jyglo â pheli,
yr ail yn jyglo â ffyn oedd yn dipyn
mwy na'r peli, a'r trydydd yn gwneud
ati i chwilio am rywbeth oedd yn fwy
fyth. Aflwyddiannus fu'r chwilio ac
felly rhoddodd y trydydd clown y ffyn
a ddefnyddiodd yr ail glown ar dân, a

jyglo'r rheini! Pan ddaeth golwg o banig drosto, edrychodd y ddau glown arall ar ei gilydd, rhedeg i ochr y llwyfan a dychwelyd gyda bwcedi a chael cryn hwyl yn taflu dŵr ar ei gilydd mewn ymgais i ddiffodd y tân.

Yn dilyn hynny, aethon nhw i nôl bwced arall bob un a bygwth taflu dŵr dros y gynulleidfa, ond ar ôl y bygythiadau, conffeti sych oedd yn eu bwcedi ac nid dŵr. Tra oedden nhw'n chwerthin ar hynt a helynt y tri chlown digri, teimlodd Poli ei mam yn ei chyffwrdd yn ysgafn ar ei hysgwydd.

"Mae'n debyg mai ti oedd yn iawn am anifeiliaid yn y syrcas, Poli. Edrych!"

Pwyntiodd mam Poli i gyfeiriad ci bach oedd wedi rhedeg i ganol y llwyfan ac wedi cydio yn nhrowsus un clown, gan achosi iddo ddisgyn yn ôl i freichiau'r ail glown, nes i hwnnw golli ei gydbwysedd a disgyn i freichiau'r trydydd. Roedd hwnnw'n amlwg yn methu dygymod â

phwysau'r ddau arall a disgynnodd yn
fflat ar ei gefn, a'r ddau arall ar ei ben,
gan achosi pentwr doniol o glowniau.
Neidiodd y ci bach ar ben y pentwr, sefyll
ar ei ddwy goes ôl a dawnsio mewn cylch
ar eu pennau.

Sôn am chwerthin – roedd y
gynulleidfa gyfan yn ei dyblau wrth
wylio'r ci bach doniol, ond roedd
rhywbeth amdano wedi denu sylw Poli.
Roedd hi'n adnabod y ci bach llwyd hwn
oedd â choblyn o dei bo mawr (coch,
a smotiau melyn drosto) am ei wddf, a
sanau bach melyn am ei bawennau ôl.

Yn sydyn, daeth sŵn chwibanu,
ac ymddangosodd pedwerydd clown,
a thennyn yn ei law ond dim ci ar y
tennyn. Roedd y ci bach wedi neidio
oddi ar y pentwr clowniau, fel eu bod
nhw rhyngddo ef a'r clown newydd.
Chwibanodd y pedwerydd clown eto, gan
achosi i'r ci bach clyfar roi ei bawennau
dros ei lygaid, yn union fel petai'n

cuddio. Cafwyd munudau o chwerthin uchel wrth i'r clown gerdded o amgylch y pentwr, ond roedd y ci yn cerdded oddi wrtho gan guddio.

Ar ôl cerdded o amgylch y pentwr deirgwaith, eisteddodd y pedwerydd clown o'i flaen â golwg ddigalon arno, cyn i'r ci ymddangos eto drwy neidio ar ben y pentwr a'i ben yn gam wrth weld ei berchennog yn drist. Dechreuodd y pedwerydd clown grio, â dagrau comig yn cael eu chwistrellu i bob cyfeiriad gan wlychu rhai aelodau o'r gynulleidfa oedd yn y rhes flaen. Ar hynny, neidiodd y ci bach dros ben y clown a glanio yn ei gôl, cyn llyfu ei wyneb. Chwarddodd y gynulleidfa a chymeradwyo.

Roedd pawb wrth eu boddau – a neb yn fwy na'r pedwerydd clown. Cariodd y ci o amgylch rhes flaen y gynulleidfa er mwyn iddyn nhw gael ysgwyd llaw ag o, a hwnnw'n codi ei bawen yn ufudd bob tro i wneud hynny. Roedd rhai o'r

tadau yn y gynulleidfa wedi ysgwyd llaw'r clown a chael sioc drydanol fach wrth wneud hynny! Pan ddaethon nhw at y gynulleidfa oedd yn eistedd ddwy res o flaen Poli (ac yn union o flaen y gŵr â'r smotyn candi fflos yng nghanol ei ben moel), roedden nhw o fewn cyffwrdd, bron, iddi.

Roedd Poli yn iawn. Roedd hi'n

adnabod y ci bach llwyd, a bu bron iddi ddisgyn o'i sedd pan sylwodd fod wyneb y clown yn gyfarwydd iawn iddi hefyd! O dan y trwyn coch, yr het biws a'r dillad amryliw fel yr enfys, roedd neb llai na Mr Llwyd! Doedd dim dwywaith nad y fo oedd hwn, a Ffyrgi Bach Llwyd oedd y ci doniol oedd wedi perfformio mor ardderchog ar y llwyfan.

Fedrai Poli ddim credu'r peth. Edrychodd ar ei mam i weld a oedd hi wedi sylwi, ond roedd ei mam yn dal i guro'i dwylo i guriad y gerddoriaeth fywiog â gwên fawr ar ei hwyneb. Mae'n debyg na fyddai Poli wedi sylwi chwaith, a bod yn deg, oni bai iddi gyfarfod Ffyrgi yn gynharach y diwrnod hwnnw, gan mai'r ci bach wnaeth hi ei adnabod gyntaf.

Roedd y gerddoriaeth wedi newid i fod yn arafach ac fel walts erbyn i'r clown/Mr Llwyd (!) a'r ci fynd yn eu holau i'r prif lwyfan, a chawson nhw weld y ddau yn dawnsio'n gelfydd o amgylch y cylch perfformio. Roedd y tri chlown arall erbyn hyn wedi deffro o'u trwmgwsg, wedi rhwbio'u pennau a helpu'r naill a'r llall i godi ac yn dawnsio'n drwsgl yn y cefndir, gan sathru ar draed ei gilydd bob yn ail gam, bron.

Roedd Ffyrgi bach yn gwneud pob math o driciau wrth ddawnsio, gan ysgafndroedio rhwng coesau Mr Llwyd, sefyll ar ei ddwy gocs ôl a chwyrlïo mewn cylchoedd bach. Yna, cerddai i fyny braich dde Mr Llwyd, heibio cefn ei wddf a dod yn ôl i lawr y fraich chwith. Roedd y cyfan wedi ei goreograffu'n berffaith, ac ar ddiwedd y ddawns fawr fe foesymgrymodd y ci bach yr un pryd yn union â'i berchennog.

Roedd y gynulleidfa ar ei thraed yn cymeradwyo'r ddeuawd ddoniol, ond roedd Poli yn dal i fod mewn gormod o sioc i guro'i dwylo. Sut allai'r dyn yma, oedd bob amser yn ymddangos mor llwyd, mor llipa ac mor lluddedig yn y dosbarth, fod mor lliwgar a llawn hwyl ar y llwyfan mawr?

<u>Athro 1: Mr Llwyd</u>

Enw Llawn: Mr Clwyd Llwyd

Oed: Tua 72? 48?

Hoff ddillad: Unrhyw beth a phopeth Llwyd. O'i
esgidiau i ffrâm ei sbectol. ~~Erioed wedi cael ei weld~~
~~yn gwisgo dilledyn o unrhyw liw arall yn yr ysgol~~
Ond yn ei amser hamdden mae'n gwisgo sbectol
felen, a bresys lliwgar i ddal ei drowsus i fyny.

Esgidiau anferthol fel rhai cawr - un esgid goch â chareiau glas, ac un las â chareiau coch. Crys melyn â smotiau gwyrdd a thei bo gwyrdd anferthol. Het biws ar ben gwallt cyrliog oren, a phelen fawr goch am ei drwyn.

Cyfeiriad: Tŷ Du, Bryn Gwyn, Llan-lliw

Diddordebau: ~~Gosod gwaith cartref~~ Hyfforddi ei gi, Ffyrgi Bach Llwyd, i wneud triciau anhygoel ac arddangos y triciau yn y syrcas dros yr haf.

Ffeithiau: ~~Mae'n cael pleser mawr o geisio gwneud ein bywydau ni'r plant mor llwyd ag ydy o, drwy bentyrru gwaith cartref arnom ni. Hyd yn oed yn ystod y gwyliau (a dwi'n siŵr bod hynny yn erbyn rhyw gyfraith).~~

~~Nid yw'n defnyddio beiro goch i farcio ein gwaith, ond yn hytrach yn defnyddio pensil (am ei fod yn llwyd, siŵr o fod).~~

Er ei fod o'n ymddangos yn llwyd yn yr ysgol, Mr Llwyd ydy'r person mwyaf lliwgar rydw i'n ei adnabod yn y dref, ac yn y byd! Mae'n ddoniol ac yn dalentog, ac mae gen i lawer o edmygedd ohono.

7
Mrs Tomos

Athro 2: Mrs Tomos

Llun

Enw llawn: Mrs Alaw Erin Tomos

Oed: Tua 136?

Hoff ddillad: Ffrog hyd at y pen-gliniau, â theits lliw ychydig yn dywyllach na lliw ei chroen. Cardigan wlân, esgidiau a mwclis o'r un lliw yn union.

Cyfeiriad: ?

Diddordebau: Canu a gwneud i bawb arall ganu (neu feimio, yn fy achos i).

Ffeithiau: O ddweud ei henw (Alaw) a'i hail enw (Erin) yn gyflym, mae'n swnio fel eich bod yn dweud Alaw Werin. Dim didl-dim, didl-dim-dim celwydd.

*   *   *

Drannoeth y noson wych yn y syrcas a'r darganfyddiad arbennig am Mr Llwyd, deffrodd Poli yn gynnar, neidio o'i gwely

i ymolchi, glanhau ei dannedd a gwisgo'i
gwisg ditectif yn gyflym. Roedd hi ar dân
eisiau parhau â phennod nesaf Project
Poli: 'Mae'n gas gen i athrawon!' Oedd,
roedd hi wir yn *mwynhau*'r syniad o
wneud ei gwaith cartref – er na fyddai hi
byth yn cyfaddef hynny wrth unrhyw un,
yn amlwg.

Roedd hi'n gwybod yn iawn ble
fyddai Mrs Tomos ar fore dydd Sul fel
heddiw gan ei bod yn cofio mai Mrs
Tomos oedd prif organyddes yr eglwys
yn y dref. Fe fyddai'n mynd yno'n
ddeddfol bob bore Sul (Mrs Tomos,
hynny ydy, nid Poli). Roedd Hafwen
Haf yn mynd i'r eglwys hefyd, a hi oedd
wedi dweud wrth bawb yn yr ysgol mai
Mrs Tomos (neu 'Modryb Alaw' fel
roedd hi'n ei galw, er nad oedden nhw'n
perthyn o gwbl) oedd yr organyddes
yno. Roedd hynny'n egluro pam roedd
Mrs Tomos wrth ei bodd gyda Hafwen
Haf ac yn ei dewis hi i ganu'r unawdau a

chwarae rhan y prif gymeriad ym mhob gwasanaeth neu gyngerdd – hyd yn oed pan wnaethon nhw berfformiad o *Anni* yn yr ysgol. Merch fach amddifad oedd Anni, ac roedd angen i'r prif gymeriad fod yn ddireidus, yn ddewr ac yn un a allai fod braidd yn hy. Roedd Poli wedi penderfynu bod hynny'n gweddu iddi hi i'r dim. Er nad oedd yn gallu canu nac yn mwynhau perfformio, mi fyddai wedi eithaf hoffi'r her o chwarae'r cymeriad ac mae'n siŵr y byddai wedi gallu rapio'r geiriau yn hytrach na'u canu.

Ond daeth diwedd ar ei breuddwydion o serennu ar y llwyfan pan gyhoeddwyd mai Hafwen Haf fyddai'n chwarae rhan Anni. Wrth gwrs. Hafwen Haf a'i gwallt perffaith, euraidd a'i gwisg ysgol fel pin mewn papur a'r rhubannau yn ei gwallt. Hy! Doedd fawr o olwg truenus ac amddifad arni, a doedd hi ddim wir yn gallu canu mor dda â hynny (roedd yn rhaid iddi gau ei llygaid, sefyll

ar flaenau ei thraed ac ymestyn ei gwddf
fel jiráff i sgrechian y nodau uchaf). Ond
hi gafodd y rhan, beth bynnag.

Crensiodd Poli ei llwyaid olaf o
greision ŷd yn swnllyd cyn codi i estyn
llond powlen arall o'r grawnfwyd. Roedd
angen digon o egni ar dditectif bach fel hi
wedi'r cyfan.

"Bobl bach, rwyt ti wedi codi'n
gynnar heddiw," daeth llais Mam o'r tu
ôl iddi wrth iddi hithau ddod i mewn i'r
gegin.

"Do, ro'n i eisiau ysgrifennu rhywfaint
o'r gwaith cartref, tra mae o'n ffresh yn
fy meddwl i ar ôl y syrcas ddoe," atebodd
Poli gan blesio'i mam yn arw.

"Wyt ti wedi sôn am y ci bach doniol
yn dy broject?" holodd Mam.

"O, do. Dwi'n bendant wedi cyfeirio
at y ci bach hwnnw yn y gwaith," meddai
Poli dan wenu wrth gael ei hatgoffa pa
mor ddoniol a gwych oedd campau
Ffyrgi a Mr Llwyd neithiwr.

Roedd Mam yn edrych yn smart iawn, mewn ffrog wen a siwmper ysgafn, werdd drosti.

"Oes gen ti awydd dod i'r capel efo fi bore 'ma?" gofynnodd ei mam.

"Sorri, Mam, ond fyddai ots gen ti 'mod i'n peidio dod yr wythnos yma? Dwi wedi cael syniad arall ar gyfer y gwaith cartref, ac yn awyddus i orffen hwnnw heddiw … os ydy hynny'n iawn gen ti?"

"Digon teg," atebodd Mam. "Be' ydy'r syniad 'ta?"

"Wel …" dechreuodd Poli egluro, ond gan stwffio llwyaid arall o'r grawnfwyd i'w cheg i roi ychydig mwy o amser iddi feddwl am stori. Wedi llyncu'r grawnfwyd, dywedodd:

"Meddwl o'n i y byddwn i'n mynd i'r dref a chyfri faint o anifeiliaid, a gwahanol fathau o anifeiliaid, ydw i'n eu gweld o gwmpas y dref ar un dydd Sul."

Goleuodd wyneb Mam.

"Wel, am syniad da," meddai. "Mi allet ti greu tabl a graff yn arddangos dy ganfyddiadau – faint o gŵn welaist ti o'i gymharu â chathod, er enghraifft."

"Ia, Mam. Dyna'n union oedd gen i mewn golwg," meddai Poli.

"Petaet ti'n eistedd yn y parc, mae'n debyg y byddet ti'n gweld wiwerod hefyd," meddai Mam, wedi mynd i hwyliau go iawn yn meddwl am waith cartref ffug Poli. "Be' am i fi ymuno efo ti i dy helpu efo'r cyfri ar ôl bod yn y capel?" meddai â'i llygaid yn fawr.

"Mam, fel dwi wedi sôn o'r blaen, fy ngwaith cartref *i* ydy hwn, a byddai'n well gen i ei wneud o ar fy mhen fy hun. Ond diolch am y cynnig 'run fath."

"O'r gorau," meddai Mam. "Er, dydw i ddim yn or-hoff o'r syniad ohonot ti'n treulio'r diwrnod cyfan yn y dre ar dy ben dy hun."

"Mi fydda i'n hollol iawn!" mynnodd Poli. "Dwi'n nabod digon o bobl o gwmpas y dre 'ma."

Roedd hynny'n hollol wir. Doedd Llan-lliw ddim yn dref fawr o gwbl. Roedd yn debycach i bentref mawr, a dweud y gwir, o ran maint, ond tref oedd hi, am ryw reswm.

"Ar un amod – dy fod ti'n dod adre'n syth os oes unrhyw broblem," meddai Mam. "Mae dy dad adre drwy'r dydd ac mi fydd o yma os oes angen rhywbeth arnat ti tra bydda i yn y capel."

"Iawn, Mam," meddai Poli'n ddidaro.

"A bydd angen i ti ddod adre erbyn tri o'r gloch pnawn 'ma yn ddi-ffael, Poli, gan y bydd Nain yn dod draw am ginio hwyr."

"Iawn, Mam."

"Mi wna i bicnic bach i ti, fel tamaid i aros pryd rhag i ti lwgu."

"Iawn, Mam ..." meddai am y trydydd tro, ond gan ychwanegu, "Diolch, Mam," y tro hwn.

Wedi gorffen ei brecwast, cydiodd

Poli yn ei sbectol haul, ei chap pig a hen
gôt laes ei thad, ac allan â hi i'r awyr iach
a cherdded i gyfeiriad yr eglwys.

*   *   *

Roedd hi wedi cyrraedd yr eglwys
ychydig yn gynnar, a hynny i wneud
yn siŵr ei bod yn bachu'r fainc oedd
gyferbyn â'r giât er mwyn cael yr olygfa
orau posib o'r rhai a fyddai'n cyrraedd ac
yn gadael. A hithau'n adnabod cymaint
o'r rhai oedd yn mynd i'r eglwys yn
rheolaidd, penderfynodd wisgo'i gwisg
ditectif gyflawn wrth eistedd ar y fainc.

Mrs Tomos oedd un o'r rhai cyntaf i
gyrraedd. Gwisgai ddillad tebyg iawn i'r
rhai y byddai'n eu gwisgo i ddod i'r ysgol.
Ffrog hyd at ei phen-gliniau a chardigan
wedi ei gwau drosti. Cariai ei bag yn un
llaw a'i llyfr emynau yn ei chesail â'i llaw
arall. Roedd ganddi fwclis am ei gwddf
oedd yr un lliw yn union â'i chardigan

a'i hesgidiau, ac roedd ei gwallt cyrliog
llwyd yn edrych yn drwsiadus, yn union
fel yr edrychai bob dydd yn yr ysgol.

Roedd yn gwenu drwy geg siâp sws,
fel roedd ei hwyneb hi bob amser, a'i
llygaid yn fain. Brasgamodd tuag at giât
yr eglwys a thrwyddi. Roedd Mrs Tomos
bron â chyrraedd drws yr eglwys pan

glywodd hi a Poli lais main yn gweiddi canu:

"Modryb Aaalaaw!"

Trodd Mrs Tomos i gael ei chyfarch gan Hafwen Haf, oedd yn rhedeg tuag ati a'i breichiau'n agored. Agorodd Mrs Tomos hithau ei breichiau i groesawu Hafwen Haf i goflaid fawr.

Ych-a-fi, meddyliodd Poli. Sôn am grafu!

Dilynodd sawl person arall y ddwy drwy'r drysau yn eu hamser eu hunain yn ystod y munudau nesaf, ac erbyn hynny roedd y Ficer wedi dod at y drws i groesawu pawb a gyrhaeddai. Roedd y drws yn agored erbyn hyn a gallai Poli glywed sain yr organ yn llifo allan wrth i Mrs Tomos fodio'r allweddau.

Ar hynny, fe ganodd cloch yr eglwys ddeg o weithiau i ddynodi ei bod yn ddeg o'r gloch. Caewyd drws yr eglwys ac aeth popeth yn dawel.

Roedd y gwasanaeth yn para am

awr gyfan, ac erbyn deng munud wedi
deg, roedd Poli druan wedi diflasu'n
lân. Roedd hi eisoes wedi bwyta'r afal a'r
frechdan gaws yr oedd ei mam wedi eu
pacio iddi fel tamaid i'w fwyta, a doedd
ganddi ddim ond banana a phaced o
greision yn weddill. Roedd wedi addo
iddi ei hun y byddai'n cadw'r rheini tan
amser cinio, gan nad oedd angen bwyd
arni ar hyn o bryd, dim ond ei bod yn
bwyta am nad oedd ganddi ddim arall i'w
wneud.

Ddeng munud yn ddiweddarach,
roedd hi'n ugain munud wedi deg, a'r
creision wedi eu llowcio a'r banana ar ei
hanner. Roedd yn dechrau difaru iddi
beidio cyfri'r cŵn a'r cathod yr oedd hi'n
eu gweld, fel yr oedd wedi dweud wrth
ei mam, gan y byddai hynny wedi pasio
rhywfaint o amser. Ond i beth fyddai hi'n
mynd ati i wneud gwaith ychwanegol heb
fod angen? Penderfynodd y byddai gallu
darganfod lle roedd Mrs Tomos yn byw

yn ddigon am heddiw, er mwyn llenwi'r rhan am y cyfeiriad. Doedd yna fawr o syrpréis am ei diddordebau hi y tu allan i'r ysgol. Roedd hi'n hoffi cerddoriaeth yn yr ysgol, roedd hi hefyd yn hoffi cerddoriaeth y tu allan i'r ysgol – a theulu Hafwen Haf. Byddai hynny'n hen ddigon am yr hen wraig yma.

Estynnodd Poli am ei llyfr nodiadau ac edrych ar restr yr athrawon roedd hi am ganolbwyntio arnyn nhw yn ei phroject:

~~Mr Llwyd~~ ✓
Mrs Tomos
Mr Smith Sbectol Sgwâr
Mrs ~~Blaidd~~ Bleddyn

Roedd hi chwarter ffordd drwy'r gwaith, a phetai'n cael yr wybodaeth oedd ei hangen arni am Mrs Alaw Erin Tomos heddiw, byddai hanner ffordd drwy'r

project! Rhaid cyfaddef nad oedd
hynny wedi bod yn rhy boenus o gwbl.
Gobeithiai'n fawr y byddai'n cael yr
wybodaeth oedd ei hangen arni am
Mr Smith Sbectol Sgwâr a Mrs Bleddyn
yr un mor gyflym ag y cafodd yr
wybodaeth am Mr Llwyd. Dim ond
deuddydd arall fyddai ei angen arni felly,
ac fe fyddai ganddi weddill yr haf i'w
fwynhau heb orfod poeni am waith ysgol
na'i mam yn ei mwydro am hynny.

I basio'r amser, aeth Poli ati i geisio
tynnu llun o Mrs Tomos i'w ychwanegu
at y proffil, ond doedd tynnu lluniau
ddim yn un o'i chryfderau.

Ymhen hir a hwyr, canodd clychau'r
eglwys un ar ddeg o weithiau – i
gyhoeddi ei bod yn un ar ddeg o'r gloch
ac yn hen bryd i'r gwasanaeth ddod i ben.

Fe gymerodd ryw ddeng munud i
chwarter awr arall i'r drysau agor ac i'r
bobl ddylifo allan yn eu dillad gorau.
Doedd dim golwg ar frys ar unrhyw un
ohonyn nhw wrth iddyn nhw sefyllian ar
y llwybr wrth y fynwent yn siarad â hwn
a hwn, a hon a hon. Unwaith eto, roedd
sain yr organ yn gefndir i'r mân siarad,
gyda Mrs Tomos, siŵr o fod, yn chwarae
un emyn cyfarwydd ar ôl y llall. Doedd
dim golwg o Hafwen Haf eto chwaith, er
bod ei mam allan yn siarad gyda'r Ficer.

O'r diwedd, clywodd Poli sain y ddau
gord yn chwarae'r 'A-men' ar ddiwedd
yr emyn olaf, oedd yn dangos bod Mrs
Tomos am roi'r gorau i ganu'r organ.
Daeth Mrs Tomos allan o'r eglwys law yn
llaw â Hafwen Haf, a gariai lyfr emynau
Mrs Tomos yn ei llaw rydd â balchder

mawr. Wrth weld y ddwy yn dod drwy'r drws a cherdded am y giât, cododd Poli oddi ar y fainc a symud tuag at goeden gyfagos er mwyn cuddio y tu ôl iddi, ac osgoi unrhyw gyfle iddyn nhw'i gweld hi. Doedd Poli ddim wedi dewis y goeden orau, gan mai boncyff digon tenau oedd ganddi, ac roedd ei dwy fraich i'w

gweld o bobtu'r goeden.

Er hynny, wnaeth Mrs Tomos na Hafwen Haf ddim sylwi ar y plentyn mewn côt yn llusgo'r llawr oedd yn pipian heibio'r goeden arnyn nhw bob hyn a hyn. Wnaeth mam Hafwen Haf ddim sylwi chwaith, na'r Ficer, oedd wedi cloi drysau'r eglwys â chlamp o oriad mawr ac yn cydgerdded efo hi drwy giât yr eglwys ychydig gamau y tu ôl i Hafwen a'i hathrawes.

Gwelodd Poli Mrs Tomos yn ffarwelio â Hafwen Haf a'i mam ac yna'n ffarwelio â'r Ficer gan ysgwyd ei law, a'i law arall yntau'n cwpanu ei llaw fach hi wrth iddi ganmol ei bregeth a diolch iddo unwaith eto am wasanaeth clodwiw iawn.

Trodd Hafwen Haf, ei mam a'r Ficer i'r chwith, a throdd Mrs Tomos i'r dde a cherdded i gyfeiriadau gwahanol, am adref siŵr o fod.

Roedd Poli wedi plygu i gau ei chareiau wrth i Mrs Tomos gerdded

heibio. Roedd wedi plygu i lawr i gau
ei chareiau am gyfnod hir, gan fod Mrs
Tomos yn cerdded yn araf iawn, yn
arafach o lawer na Mr Llwyd ddoe, beth
bynnag.

8
Yr hen a ŵyr ...

Dilynodd Poli Mrs Tomos drwy ganol y dref ac, er mawr syndod iddi, aeth drwy giât campfa fach y dref. Beth ar wyneb y ddaear roedd hi'n ei wneud yma?

Doedd y gampfa ddim yn un fel y rhai cyffredin oedd mewn canolfannau chwaraeon. Roedd y gampfa hon wedi ei lleoli mewn hen neuadd, a gwyddai Poli eu bod yn arbenigo yn bennaf mewn bocsio, reslo, cwffio cawell, jiwdo, karate a phob math o ddulliau eraill o baffio. Oedd gan Mrs Tomos berthynas – nai efallai, neu ŵyr – a oedd angen ei nôl o wers?

Roedd hi wedi mynd trwy'r drws, felly dilynodd Poli hi drwy'r giât. Ond yn hytrach na mynd i mewn i'r adeilad, aeth Poli ar flaenau ei thraed i edrych drwy ran isaf un o'r ffenestri. Roedd y ffenest yn llychlyd, a phrin y gallai Poli weld trwyddi'n glir.

Gallai Poli weld cylch bocsio mawr yng nghanol y neuadd. Yng nghorneli pellaf yr ystafell roedd mannau ymarfer â sachau dyrnu yn hongian o'r nenfwd a rhaffau sgipio a menig bocsio yn hongian ar y wal mewn rhesi taclus, fel côr. Yn y corneli agosaf at y ffenest roedd matiau llawr mawr, glas yn creu sgwâr mawr. Roedd y neuadd yn wag, heblaw am un dyn – hyfforddwr karate yn ôl ei olwg – a eisteddai ar ochr y cylch bocsio yn yfed o botel ddŵr ac yn edrych ar ei ffôn symudol. Ar hynny, agorodd y drws a cherddodd Mrs Tomos i mewn i'r ystafell. Cododd y dyn a cherdded ati i ysgwyd ei llaw a'i tharo'n ysgafn ar ei hysgwydd, fel petai hi'n hen ffrind.

Roedd yn amlwg yn ei hadnabod.
Roedden nhw'n siarad am rywbeth,
ond doedd dim posib eu clywed
drwy'r ffenest. Chwarddodd y ddau, ac
ysgydwodd y dyn ei ben. Wedi hynny,
diflannodd Mrs Tomos drwy ddrws yn
yr ystafell, ond nid yr un drws ag y daeth
drwyddo.

Bu bron i Poli neidio pan ddaeth
wyneb yn wyneb â phry copyn mawr
yr ochr arall i'r ffenest. Mae'n amlwg i'r
pry copyn yntau gael braw wrth weld
wyneb Poli mor agos, gan iddo sgrialu
o'r golwg. Camodd Poli yn ei hôl i gael
ei gwynt ati, a dyna pryd y sylwodd hi
ar yr hysbysfwrdd y tu allan i'r neuadd.
Roedd ar fin mynd i gael gwell golwg
arno pan glywodd sŵn drws yn cau'n
glep y tu mewn i'r adeilad. Ymestynnodd
i edrych drwy'r ffenest eto, a gweld neb
llai na Mrs Tomos mewn trowsus a siaced
wen, laes (yn union fel y wisg roedd

pobl yn ei gwisgo pan oedden nhw'n ymarfer karate) a belt fawr ddu yn dal y siaced ynghau. Roedd ei hwyneb yn edrych yr un fath yn union ag yr oedd wrth iddi gerdded i'r eglwys, â'i cheg siâp sws a'i llygaid main, ond roedd band du,

trwchus am ei thalcen ac o amgylch ei
phen a'i chyrls llwyd.

Doedd bosib fod Mrs Tomos yno i
ymarfer karate? Gallai Poli weld y ddau'n
cerdded tuag ati hi a'r sgwâr mawr o
fatiau meddal oedd yn un o'r corneli.
Wrth sefyll arno, roedd y ddau'n wynebu
ei gilydd ac yn plygu i foesymgrymu, y
naill i'r llall. Mae'n rhaid mai rhyw fath
o jôc oedd hon, meddyliodd Poli. Ond
ar hynny, dechreuodd y ddau neidio
i fyny ac i lawr yn ysgafn â'u coesau
ar led ar y mat, gan barhau i wynebu
ei gilydd â'u braich chwith wedi ei
hymestyn allan a'r llaw ar ffurf dwrn,
a'r llaw dde yn nes at y corff, eto ar ffurf
dwrn. Roedden nhw fel petaen nhw'n
dawnsio bron, y naill yn cymryd ei dro
i neidio'n nes at y llall, oedd yn achosi
i'r llall fownsio yn ei ôl. Yna, yn gwbl
annisgwyl, hyrddiodd Mrs Tomos ei llaw
dde o ymyl ei brest i gyfeiriad y gŵr cyn
ei thynnu'n ôl drachefn. Roedd ei llaw

chwith yn gwneud yr un symudiad, ond i'r gwrthwyneb i'r llaw dde.

Yn dilyn hynny, aeth pethau'n dipyn mwy cyffrous, gyda'r dyn yn cymryd ei dro i wneud yr un peth, ond fe wnaeth Mrs Tomos osgoi ei symudiad drwy neidio yn ei hôl, cyn neidio i'r awyr â chic uchel. Allai Poli ddim credu'r hyn a welai. Doedd hi ddim yn meddwl y gallai hi hyd yn oed neidio mor uchel â hynny, nac ychwaith godi ei choes i gicio mor uchel yn yr awyr a chadw ei chorff yn dalsyth, nes bod ei choesau'n creu ongl sgwâr berffaith!

Roedd y dyn yn amlwg yn arbenigwr, yn symud yn gelfydd o amgylch y mat, ond roedd Mrs Tomos hithau'n dal ei thir a chystal ag o bob blewyn, *os nad yn well*, o'r hyn allai Poli ei weld. Saethodd lefel y parch oedd gan Poli at yr athrawes hon i fyny'n uchel. Fedrai hi ddim peidio â meddwl pam roedd hon yn gwastraffu ei hamser yn yr ysgol yn hyfforddi plant i wneud pethau mor ddiflas â chanu cerdd dant ac alaw werin, pan allai fod yn cynnig gwersi karate i bawb ac yn creu degau o blant â beltiau duon yn yr ysgol.

Fe allai Poli fod wedi aros yno'n ei gwylio yn ymarfer ac yn cwffio drwy'r prynhawn, ond roedd yn ymwybodol bod yn rhaid iddi gadw un llygad ar y cloc. Roedd hi'n tynnu at hanner awr wedi dau, felly byddai'n well iddi fynd yn ei hôl am adref i gael cinio hwyr gyda'i theulu, fel roedd hi wedi addo i'w mam.

Cyn gadael, aeth i gael cipolwg ar yr hysbysfwrdd i weld a oedden nhw'n cynnig gwersi karate i blant yno, gan fod gwylio Mrs Tomos wedi codi awydd arni i roi cynnig ar y grefft. Os gallai Mrs Tomos, o bawb, lwyddo i gael belt ddu, yna byddai hithau'n siŵr o allu cael un yn hawdd. Wrth astudio'r hysbysfwrdd, tynnwyd ei sylw gan boster mawr, lliwgar oedd yn hysbysebu noson reslo arbennig yn y neuadd ddiwedd yr haf:

Athro 2: Mrs Tomos

Enw llawn: Mrs Alaw Erin Tomos

Oed: ~~Tua 136?~~ 58?

Hoff ddillad: Ffrog hyd at y pen-gliniau, â theits lliw ychydig yn dywyllach na lliw ei chroen. Cardigan wlân, esgidiau a mwclis o'r un lliw yn union.

NEU gwisg draddodiadol karate â belt fawr ddu.

Cyfeiriad: ?

Diddordebau: ~~Caru a gwneud i bawb arall garu (neu feimio, yn fy achos i)~~. Mae Mrs Tomos yn ddynes gerddorol dros ben ac yn defnyddio'i doniau i helpu plant yn yr ysgol, ond hefyd yn y gymuned gan ei bod yn chwarae'r organ yn wirfoddol yn yr eglwys bob dydd Sul.

Mae ganddi ddiddordeb hefyd mewn karate a reslo, ac mae wedi llwyddo i ennill belt ddu wrth ymladd karate, sydd yn dipyn o gamp gan mai dyma'r wobr uchaf fedr unrhyw un ei chael! Bydd yn cwffio mewn gornest reslo ddiwedd y mis a'i henw reslo yw 'Ninja Nain'.

Ffeithiau: O ddweud ei henw cyntaf (Alaw) a'i hail enw (Erin) yn gyflym, mae'n swnio fel eich bod yn dweud Alaw Werin. Dim didl-dim, didl-dim-dim celwydd.

Mrs Tomos ydy un o'r athrawon mwyaf anhygoel rydw i wedi eu cyfarfod.

9
Mr Smith
Sbectol Sgwâr

Athro 3 : Mr Smith Sbectol Sgwâr

Enw llawn: Mr Seimon Smith

Oed: Tua 40?

Hoff ddillad: Sbectol sgwâr

Cyfeiriad: ?

Diddordebau: Cyfrifiaduron ac offer technoleg gwybodaeth o bob math - eu trwsio, eu gweithio, eu hadeiladu.

Ffeithiau: Does neb yn hollol siŵr a ydy Mr Smith Sbectol Sgwâr yn gallu siarad. Mae'n bosib mai mudan ydy o. Dydy o byth yn dweud bw na be yn yr ysgol. Os ydy o eisiau rhoi neges i unrhyw athro arall, mae'n gwneud hynny drwy yrru e-bost. Mae unrhyw neges i'r plant yn cael ei rhoi iddyn nhw ar ffurf PowerPoint.

*　　*　　*

Wel, roedd Poli eisoes hanner ffordd drwy ei phroject ac roedd wedi penderfynu y byddai'n treulio heddiw yn gwneud ychydig o ymchwil ar Mr Smith Sbectol Sgwâr. Roedd gan ei mam, ar y llaw arall, gynlluniau eraill.

"Be' hoffet ti ei wneud heddiw, Poli?" holodd, cyn ychwanegu, "Meddwl o'n i y gallen ni fynd i siopa i chwilio am wisg ac offer newydd i ti ar gyfer mynd yn ôl i'r ysgol ym mis Medi."

"Oes raid mynd heddiw?" gofynnodd Poli, gan geisio peidio swnio'n rhy anniolchgar. "Ro'n i wedi gobeithio bwrw 'mlaen efo'r gwaith cartref dros y dyddiau nesa 'ma."

"Digon teg," meddai Mam. "Mae'n debyg y bydd digon o amser eto i ni fynd i siopa cyn i ti fynd yn ôl i'r ysgol."

Roedd hi braidd yn ansicr sut y dylai hi ymateb i'r sefyllfa hon, gan nad oedd hi erioed wedi gweld Poli mor awyddus i wneud ei gwaith cartref o'r blaen. Roedd hi wedi dechrau poeni bod Poli yn dweud ychydig o gelwyddau wrthi am y gwaith cartref hyd yn oed, ac mai esgus oedd hynny iddi gael mynd i gadw reiat ar strydoedd y dref ac yn y parc gyda Twm, Trystan a Hywyn – y bechgyn roedd hi'n tueddu i dreulio'i hamser gyda nhw yn yr ysgol. Er hynny, roedd hi'n teimlo'n ddrwg am amau ei merch, yn enwedig os oedd hi mewn gwirionedd yn gweithio'n galed ar y project. Er mwyn bod yn saff o hynny, fodd bynnag, roedd ganddi gynllun arall.

"Ro'n i'n amau y byddet ti'n awyddus i gael cario 'mlaen efo'r gwaith ysgol, felly dwi wedi gofyn i dy dad fod efo ti heddiw i helpu …"

"Sawl gwaith sydd angen dweud, Mam? Dydw i ddim eisiau help!" protestiodd Poli.

"Ond bydd angen rhywun i dy ddanfon di. Fedri di ddim cerdded gan ei fod yn rhy bell," mynnodd Mam.

"Fy nanfon i i ble?" holodd Poli, wedi drysu'n lân.

"Wel, i Gylch y Coed, debyg," oedd

ateb Mam. Coedwig fechan ychydig filltiroedd o'r dref oedd Cylch y Coed. Roedd yn lle poblogaidd iawn gan rai oedd yn ymddiddori mewn natur, gan nad oedd wedi ei ddifetha o gwbl gan ddynion a'u hadeiladu.

"Pam ydw i eisiau mynd i Gylch y Coed?" holodd Poli, yn aros yn eiddgar i'w mam daflu goleuni ar ei phenbleth.

"Fel rhan nesa dy broject, siŵr iawn," oedd ateb Mam. "Mi dreuliaist ti drwy'r dydd ddoe yn astudio'r anifeiliaid sydd i'w gweld yn y dref. Y cam naturiol nesa ydy astudio'r anifeiliaid sydd i'w gweld yng nghefn gwlad ac yng nghanol byd natur."

Petai Poli *yn* gwneud project am anifeiliaid, byddai gan ei mam bwynt teg iawn. Ond doedd Poli ddim yn gwneud project ar anifeiliaid, ac roedd yn bur annhebygol y byddai'n gweld un o'i hathrawon yn pori rhwng y coed fel carw, neu'n bwyta cnau ar ben coeden fel wiwer!

Nid cynnig ffordd o helpu gyda'r project yn unig oedd ei mam, wrth gwrs. Byddai anfon Poli i'r coed gyda'i thad am ddiwrnod yn ffordd o sicrhau nad oedd hi'n mynd i gyfarfod â ffrindiau am y diwrnod cyfan eto heddiw, fel ag yr oedd, o bosib, wedi ei wneud drwy'r dydd ddoe a'r diwrnod cynt.

10
Cylch y Coed

Rocdd Poli yn flin. Roedd hi'n fwy na blin. Roedd hi'n gynddeiriog. Wedi'r cwbl, roedd hi wedi bod wrthi'n gydwybodol dros y diwrnodau diwethaf yn ymchwilio ac yn gwneud ei phroject, ond er hynny roedd yn rhaid i'w mam fusnesa a difetha pethau iddi. Doedd honno ddim yn hapus pan nad oedd hi'n gwneud y gwaith, ac eto, doedd hi ddim llawer gwell pan oedd Poli *yn* gwneud ei gwaith ysgol.

Canlyniad hyn oedd ei bod yn sownd mewn coedwig am y diwrnod,

yn gwneud nodyn ar bob anifail a
welai, er nad oedd angen iddi wneud
hynny o gwbl. Doedd ganddi mo'i beic,
fedrai hi'n amlwg ddim chwarae ei gêm
gyfrifiadurol, a doedd dim posib iddi
fwrw ymlaen â'i phroject chwaith. Am
wastraff o'i hamser!

Roedd ei thad wedi dod â llyfr am
hanes rhyw ryfel neu'i gilydd gydag o.

Felly, roedd o'n fwy na hapus i setlo dan goeden i ddarllen mewn heddwch, ymhell o swnian ei wraig.

"Dwi'n cymryd na fyddi di angen fy help i wrth gyfri'r anifeiliaid, na fyddi, Poli?" oedd ei eiriau wrth osod y flanced yn daclus yn barod i eistedd arni. "Rwyt ti'n ddigon hen i wneud hynny dy hun, mae'n debyg."

Yn dilyn hynny, roedd Poli wedi cael rhwydd hynt i fynd i chwilio am ei lle tawel ei hun i 'gyfri anifeiliaid', gyda'r rhybudd i beidio â chrwydro'n rhy bell a chofio'i ffordd yn ôl.

Doedd dim perygl o gwbl ei bod hi am eistedd yn cyfri cwningod drwy'r dydd, felly penderfynodd gerdded yn ddigon pell o olwg a chlyw ei thad i chwilio am goeden a fyddai'n werth ei dringo.

Bu'n cerdded ling-di-long am rai munudau yn ceisio dod o hyd i goeden addas. Doedd hi ddim yn dasg hawdd,

gan fod y rhan fwyaf o'r coed yn rhai
tal ofnadwy, a'r brigyn isaf un tua chwe
throedfedd uwchben Poli. Wedi cerdded
drwy rannau lle roedd y coed yn drwch,
synnodd wrth ddod ar draws llannerch
yng nghanol y coed, sef lle agored (oedd
yn digwydd bod ar siâp cylch perffaith) â
phorfa ar y llawr yn glir o unrhyw goed,
heblaw am un goeden fawr. Derwen
gref oedd honno a safai fel brenhines
ynghanol y cylch, ac roedd hi'n edrych yn
berffaith ar gyfer ei dringo.

Roedd Poli ar fin rhedeg ati i gael
gwell golwg arni pan sylwodd ar rywun
arall yn cerdded tuag at y goeden. Dyn
canol oed mewn trowsus brown golau,
llac a chrys T brown tywyll a oedd fel
petai ddau neu dri maint yn rhy fawr
iddo. Roedd y dillad yn gweddu'n
berffaith i liwiau byd natur o'i gwmpas.
Roedd ganddo hefyd sach garthen ar ei
gefn.

Roedd y dyn wedi cyrraedd y goeden

erbyn hyn, a chafodd Poli ei synnu pan welodd y gŵr yn estyn ei freichiau o amgylch y goeden i roi 'cwtsh' fawr iddi, yn union fel petai'n gweld rhywun nad oedd wedi ei weld ers amser maith. Roedd ei foch yn pwyso'n dyner yn erbyn rhisgl garw'r goeden. Safodd yno felly am rai munudau, yn hollol lonydd, cyn troi a cherdded oddi wrth y goeden â chamau bach, fel petai'n mesur mewn troedfeddi.

Cyrhaeddodd y man lle roedd o eisiau bod a chodi tywarchen o'r ddaear yn ddigon rhwydd. Tynnodd ysgol ddringo bren o'r twll, cyn rholio'r dywarchen yn ôl yn llyfn. Cariodd yr ysgol ddringo yn ôl tuag at y goeden a'i rhoi i bwyso'n ofalus yn erbyn y boncyff pren, cyn dringo i fyny'n chwim. Wedi cyrraedd y gangen roedd o'n awyddus i fod arni, estynnodd am yr ysgol bren, ei chodi i fyny ato a'i rhoi i orffwys rhwng canghennau cyfagos.

Gallai Poli ei weld, ond ddim yn

glir iawn, rhwng brigau'r coed a'u dail. Eisteddai ar gangen a'i ddwy goes wedi eu plethu. Roedd y sach oedd ar ei gefn erbyn hyn yn ei gôl ac estynnodd iddi a bwyta beth bynnag oedd ei chynnwys yn awchus, fel rhyw wiwer yn bwyta'i chnau.

Er i Poli ddweud wrthi ei hun fod pethau gwell i'w gwneud nag eistedd wrth foncyff coeden fel ei thad, penderfynodd mai dyma'r peth gorau iddi ei wneud yn y sefyllfa hon, a hynny er mwyn astudio'r creadur rhyfedd hwn oedd wedi dangos ei guddfan i Poli heb yn wybod iddo. Ceisiodd wneud ei hun yn gyfforddus ar y ddaear, rhwng dwy goeden, gan ofalu peidio â gwneud unrhyw sŵn.

"AW!" gwaeddodd, gan ddychryn ei hun wrth wneud hynny. Roedd wedi eistedd ar ddanadl poethion. Brathodd ei gwefus a throi i edrych yn araf er mwyn gweld a oedd unrhyw arwydd fod y wiwer-ddyn yn y goeden wedi ei chlywed. Roedd hwnnw wedi sythu ei gefn ac yn edrych o'i gwmpas, yn union fel *meerkat* (ond ei fod ar ben coeden). Ar ôl edrych yn ofalus i bob cyfeiriad, roedd fel petai wedi ei sicrhau nad oedd neb o gwmpas a throdd ei sylw yn ôl at gynnwys ei sach. Ar ôl gwirio fod y gwair yn glir o unrhyw blanhigyn poenus, eisteddodd Poli hefyd – ond ddim yn gyfforddus iawn â'r swigod bach eisoes wedi dechrau codi ar ei phen-ôl ar ôl eistedd ar y danadl poethion.

*   *   *

"Ffeind a braaaaf oedd y bryn, lle tyfodd y pren!"

Roedd y dyn wedi bod i fyny yn y goeden am gyfnod hir a Poli wedi ei glywed yn canu sawl cân o fawl i'r goeden wrth i'w lais gario yn y gwynt. Erbyn hyn roedd hi'n dechrau cael llond bol ar aros iddo ddod yn ei ôl i lawr. Bu'n pwyso a

mesur am beth amser a oedd y dyn hwn
yn debygol o fod yn beryglus ai peidio,
gan ei bod yn ysu am fynd ato i siarad
ag o. Penderfynodd mai'r syniad gorau
fyddai iddi gerdded o dan y goeden a
smalio nad oedd hi'n ymwybodol ei fod
yno, er mwyn gweld a fyddai'n ymateb
wrth ei gweld hi. Felly, i ffwrdd â hi.

Fe gerddodd i gyfeiriad y goeden gan wneud ei gorau i osgoi edrych ar y gangen lle roedd y dyn yn eistedd. Wrth gyrraedd y goeden, cymerodd arni edrych i'r dde ac i'r chwith, fel petai hi ar goll. Ddaeth dim sŵn o'r canghennau uwch ei phen. Edrychodd y tu ôl iddi a heibio'r goeden. Fedrai hi ddim peidio ag edrych i fyny wedyn, ac wrth wneud hynny, daeth ei llygaid i gwrdd â phâr o lygaid eraill oedd yn syllu arni'n syn, a hynny drwy ffrâm sbectol sgwâr.

"Mr Smith?" meddai Poli mewn anghrediniaeth lwyr. "Be' ar wyneb y ddaear ydych chi'n ei wneud ar y gangen acw?"

Athro 3: Mr Smith Sbectol Sgwâr

Enw Llawn: Mr Seimon Smith

Oed: Tua 40?

Hoff ddillad: Sbectol sgwâr

Cyfeiriad: Y Dderwen, Cylch y Coed

Diddordebau: Byd natur (er ei fod yn smalio

yn yr ysgol ei fod yn hoffi cyfrifiaduron ac offer technoleg gwybodaeth o bob math - eu trwsio, eu gweithio, eu hadeiladu).

Ffeithiau: ~~Does neb yn hollol siŵr a ydy Mr Smith Sbectol Sgwâr yn gallu siarad. Mae'n bosib mai mudan ydy o. Dydy o byth yn dweud bw na be yn yr ysgol. Os ydy o eisiau rhoi neges i unrhyw athro arall, mae'n gwneud hynny drwy yrru e-bost. Mae unrhyw neges i'r plant yn cael ei rhoi iddyn nhw ar ffurf PowerPoint.~~

Mr Smith ydy ffrind pennaf natur. Mae wedi rhoi ei fywyd i barchu'r coed a'i amgylchfyd. Gan fod bywyd ar gangen coeden yn gallu bod yn unig ac yn ddiflas, mae'n dod i'r ysgol i weithio â'r offer technegol sydd yno. Mae'n gwneud ei orau i annog pawb i ddefnyddio technoleg fodern yn hytrach na phapur er mwyn ceisio achub y coed. Yn ei amser hamdden mae'n cofleidio'r coed yn eu tro, yn dawnsio yn eu mysg ac yn canu mawl iddyn nhw. Mae gen i barch mawr at Mr Smith am lwyddo i fyw mewn ffordd mor anfaterol.

Project Poli

11
Mrs ~~Blaidd~~ Bleddyn

Athro 4: Mrs Bleddyn

Enw Llawn: Mrs Blodwen Bleddyn

Oed: Tua 83?

Hoff ddillad: Sodlau uchel fel ei bod fel cawres wrth ymyl y plant.

Cyfeiriad: ?

Diddordebau: Dychryn plant (a rhieni)

Ffeithiau: Mae hi wedi bod yn bennaeth ar Ysgol Gynradd Llan-lliw ers rhai canrifoedd ac wedi dysgu'r rhan fwyaf o rieni'r dref. Does neb eisiau ei chroesi, yn enwedig ar ôl iddi, yn ôl y sôn, gloi mab i ffrind modryb cefnder nain y dyn oedd yn byw drws nesaf i Tomos (oedd yn yr un dosbarth â Poli) yn y stordy am benwythnos cyfan. Cosb am roi min ar ei bensil yn ei dosbarth a methu'r bin wrth naddu oedd hon.

*　　*　　*

Er i'r dydd Llun hwnnw argoeli i fod yn un digon diflas yng Nghylch y Coed, roedd Poli wedi cael bore buddiol iawn ac wedi llwyddo i gwblhau pennod arall o'i phroject – ar y rhyfeddol Mr Smith Sbectol Sgwâr. I goroni'r cyfan, tra oedd yn teithio'n ôl adref yn y car gyda'i thad, roedd Poli wedi gweld Mrs Blaidd yn cerdded ar hyd y brif stryd ac yn troi am fynedfa Fferm Gymunedol Llan-lliw. Roedd hwn yn gyfle rhy dda i'w golli.

"Stopia'r car, Dad!" bloeddiodd Poli nes achosi i'w thad fynd i banig braidd ac edrych yn y drych yn sydyn i weld a oedd rhywbeth y tu ôl iddo.

"Pam? Wyt ti'n sâl?" holodd Dad.

"Plis, plis, plis, gan 'mod i wedi gorffen fy ngwaith yn y goedwig yn gynt na'r disgwyl, ga i fynd am dro i Fferm y Gymuned i wneud chydig o ymchwil yno?"

Doedd Dad ddim yn siŵr iawn beth i'w wneud na'i ddweud, gan ei fod wedi cael cyfarwyddiadau digon manwl gan ei wraig i beidio â gadael i Poli fynd i grwydro strydoedd Llan-lliw heddiw.

"Be' ddwedith dy fam?" gofynnodd.

"Bydd Mam wrth ei bodd," meddai Poli â gwên ar ei hwyneb. "Dweda wrthi 'mod i am ysgrifennu pennod ar anifeiliaid y fferm a bod angen i fi gasglu gwybodaeth yma," meddai, cyn ychwanegu, "ac mi fydda i wedi gorffen fy mhroject wedyn."

Doedd y rhan olaf ddim yn gelwydd beth bynnag.

"O'r gorau," cytunodd Dad. "Ond paid â bod yn hir, neu mi fydd y ddau ohonon ni mewn trwbl."

Wedi rhybuddio'i ferch, cododd Dad ei law ar Poli ar ôl iddi gau'r drws a gyrru am adref. Cerddodd Poli tuag at fynedfa'r fferm gymunedol, ond wrth iddi gyrraedd y giât i arwyddo i mewn, doedd dim golwg o Mrs Blaidd yn unman. Doedd ganddi ddim syniad i ba gyfeiriad yr oedd hi wedi mynd, felly penderfynodd nad oedd dim amdani ond mynd am dro o amgylch y fferm i geisio dod o hyd iddi.

Doedd Poli ddim wedi ymweld â'r
fferm gymunedol ers pan oedd hi'n bump
oed. Pan gyrhaeddodd ac edrych o'i
chwmpas, doedd hi ddim yn gallu deall
pam nad oedd yn mynd yno'n amlach –
roedd hi'n wych yno! Roedd pob math
o anifeiliaid fferm yn cael eu cadw yno,
a gwirfoddolwyr o'r dref yn eu bwydo
ac yn gofalu amdanyn nhw. Ymhlith yr
anifeiliaid roedd gwartheg i'w godro;
geifr; llond cae o ddefaid; ieir yn rhydd
i grwydro a phigo yn y caeau am eu bod
wedi dod i arfer â dodwy wyau yn y cwt;
hwyaid yn nofio ar lyn; hwch â llond twlc
o foch bach yn cadw cwmni iddi; merlen
fynydd a mul yn rhannu cae a stabl.
Roedd y ferlen, yn ôl y sôn, yn ddigon
dof i'w marchogaeth.

Er mai gwibdaith sydyn o amgylch
y fferm gafodd Poli, gan ei bod yn
chwilio am Mrs Blaidd, roedd hi wedi
mwynhau'n fawr. Edrychai ymlaen yn
arw at gael dychwelyd yn fuan pan nad

oedd hi ar frys ac, o bosib, i holi am y
posibilrwydd o gael helpu ar y fferm.
Byddai digon o amser iddi wneud hynny
yn ystod gweddill gwyliau'r haf, yn
enwedig o ystyried fod posibilrwydd
y gallai orffen ei phroject heddiw …
petai hi ddim ond yn gallu dod o hyd i
Mrs Blaidd!

Doedd dim golwg ohoni gydag
anifeiliaid mawr y fferm. Ond wrth
gerdded yn ôl tuag at y brif fynedfa,
sylwodd Poli ar adeilad arall ar y chwith,
sef cartref i anifeiliaid anwes bychain o
bob math yn dwyn y teitl 'Ffwr' a ni!'
Roedd modd cerdded ar hyd y cyntedd
oedd yn edrych i lawr ar ystafelloedd
bychain sgwâr wedi eu gorchuddio
â gwellt, a'r rheini'n gartref i nifer o
anifeiliaid bach. Roedd dwy brif ran i'r
adeilad, a'r rhan gyntaf yn gartref i foch
cwta o bob lliw a llun. Roedd Poli wedi
dotio ar y rhain!

Wrth nesáu tuag at yr ail ran, sef cwt

y cwningod, gallai Poli glywed lleisiau. Felly, llechodd wrth y drws i wrando, gan bipian i gael cadarnhad mai Mrs Blaidd oedd perchennog un o'r lleisiau. Roedd y ddynes roedd hi'n siarad â hi yn gwisgo crys T a logo'r fferm arno.

"Dydy hi ddim wedi bwyta fawr ddim," eglurodd y ddynes ddiarth. "Mae angen ei bwydo drwy'r dydd a'r nos gan ei bod mor wan, ond yn anffodus does gennyn ni mo'r staff i wneud hynny yn ystod y nos."

Gwelodd Poli ei bod yn siarad am gwningen fechan wen, oedd yn gorwedd yn llipa yr olwg yn nwylo'r ddynes ddiarth, a'i chlustiau hirion yn drwm bob ochr i'w hwyneb.

"Mae'n drist iawn ei gweld fel hyn, ond does dim mwy allwn ni ei wneud yma," meddai'n anobeithiol.

"Peidiwch â phoeni," taranodd llais Mrs Blaidd. "Mi ofala i na fydd hi'n diodde'n llawer hirach," meddai,

a throsglwyddodd y ddynes y gwningen
fach wen o'i dwylo ei hun i rai Mrs Blaidd,
cyn plygu ei phen, fel arwydd o ddiolch.

Trodd Mrs Blaidd i adael, ond, diolch
i'r drefn, fe aeth drwy ddrws oedd y pen
arall i'r ystafell ac nid i gyfeiriad Poli.
Trodd Poli ar ei sodlau hefyd ac anelu
i gyfeiriad y fynedfa er mwyn dilyn

Mrs Blaidd i weld beth oedd hi'n bwriadu ei wneud â'r gwningen fach, ddiniwed. Druan ohoni, meddyliodd Poli. Doedd gan y greadures o gwningen ddim llawer o obaith am fywyd hapus yng ngofal y Blaidd, o bawb.

*　　*　　*

Dilynodd Poli ei phennaeth i gyfeiriad tŷ mawr pinc a safai ar ei ben ei hun mewn gardd fawr, ychydig funudau yn unig o'r fferm. Roedd Mrs Blaidd wedi mynd drwy'r giât ac wedi agor drws ffrynt y tŷ â goriad oedd ganddi yn ei phoced.

Mae'n rhaid felly mai cartref Mrs Blaidd oedd hwn, tybiodd Poli, wedi synnu bod Mrs Blaidd wedi penderfynu byw mewn tŷ pinc, o bob lliw. Er, roedd hi wedi sylwi ei bod yn gwisgo blows binc heddiw hefyd.

Roedd Poli'n sefyll wrth y giât yn pendroni beth i'w wneud nesaf pan ddaeth llais o'r tu ôl iddi.

"Esgusodwch fi," meddai, a throdd Poli i weld y ddynes ddiarth oedd wedi rhoi'r gwningen wen i Mrs Blaidd.

"Ydych chi ar eich ffordd i weld Mrs Bleddyn?" holodd.

"Ym …" Chafodd Poli fawr o gyfle i ateb, nac i feddwl am ateb.

"Gadawodd hi hwn ar y ff) rm," meddai gan estyn pwrs mawr a'i roi yn nwylo Poli. "Fyddech chi'n fodlon ei roi iddi, os gwelwch yn dda?"

Chafodd Poli ddim amser i egluro. Roedd y ddynes wedi troi ar ei sawdl ac yn brasgamu yn ei hôl i gyfeiriad y fferm.

Edrychodd Poli ar y pwrs yn ei llaw. Roedd hyn yn rhoi'r rheswm perffaith iddi gael mynd i'r tŷ i weld beth oedd hi'n bwriadu ei wneud â'r gwningen. Roedd hi eisoes wedi dychmygu'r gwaethaf, ac o glywed am addewid Mrs Blaidd na fyddai'r gwningen yn dioddef yn llawer hirach, roedd yn eithaf siŵr na fyddai

diweddglo hapus i stori'r gwningen fach
wen.

Cerddodd yn araf i fyny'r llwybr at y
tŷ, ond yn hytrach na mynd i guro ar y
drws, cafodd Poli ei denu i gael cipolwg
drwy'r ffenest, a gwelodd yr olygfa
fwyaf rhyfeddol iddi ei gweld erioed.
Roedd yr hyn a dybiai i ddechrau oedd
yn garped amryliw ar y llawr fel petai'n
fyw, a'r patrymau'n symud. Wrth edrych
yn fanylach, sylwodd nad carped oedd
ar y llawr, ond degau o gwningod o
bob lliw a llun yn hopian yn hapus ac
yn rhydd. Roedd waliau'r ystafell wedi
eu gorchuddio â lluniau o gwningod
amrywiol mewn fframiau! Gwenai
Mrs Blaidd fel giât yn rhai o'r lluniau
hefyd – yn dal cwningen wrth ei
hwyneb mewn ambell lun, neu'n cusanu
cwningen mewn lluniau eraill.

Roedd y silff ben tân yn gartref
i dlysau a chwpanau di-ri, ac uwch
eu pennau roedd casgliad amryliw o

rubannau (y rhan fwyaf ohonyn nhw'n goch) wedi eu harddangos â balchder. Doedd dim golwg o'r gwningen wen, sâl yn yr ystafell, nac o Mrs Blaidd.

Dychrynodd Poli pan glywodd y ffenest yn agor. Nid y ffenest yr oedd hi'n craffu drwyddi ond ffenest oedd ar yr ochr arall i'r drws ffrynt. Ysgafndroediodd Poli draw i weld a allai weld neu glywed mwy drwy'r ffenest honno. Clywodd lais Mrs Blaidd:

"Tyrd yma, bwni bach, gad i mi weld be' sy'n dy boeni di …"

Pipiodd ei phen i edrych drwy'r ffenest, a gweld cefn Mrs Blaidd. Roedd yn rhoi ei sylw i gyd i'r gwningen fach oedd wedi ei gosod i orwedd ar y bwrdd. Roedd hi'n agos iawn at y gwningen ac yn edrych i fyw ei llygaid. Symudodd Poli fymryn yn nes, fel y gallai weld rhywfaint ar wyneb Mrs Blaidd, ond gan fod yn ofalus iawn i beidio â chael ei gweld.

Aeth Mrs Blaidd yn dawel. Roedd

hi'n dal i syllu i lygaid y gwningen fach,
ond roedd hi hefyd yn gwneud rhywbeth
rhyfedd â'i thrwyn. Roedd hi'n ei grychu
dro ar ôl tro, ac er mawr syndod i Poli,
roedd y gwningen fach hefyd fel petai
wedi sylwi ar yr hyn yr oedd Mrs Blaidd
yn ei wneud a chododd ei phen bach a
chrychu ei thrwyn yn ôl at Mrs Blaidd.

"O diar," mwmiodd Mrs Blaidd, gan
barhau i grychu ei thrwyn.

"Oedden nhw, wir?" mwmiodd eto
wrth ymateb i'r gwningen fach oedd
yn crychu ei thrwyn dro ar ôl tro ac yn
camu'n araf tuag at Mrs Blaidd. "Wel,
hidia di befo am unrhyw fwli o fwni o
hyn ymlaen. Fydd dim raid i ti ddioddef
hynny yma ym Mryn Bwnis. Mi fyddi
di'n saff efo ni."

Mwythodd y gwningen nes bod
honno wedi dechrau hopian ac ymateb i'r
mwythau – wedi ei thrawsnewid yn llwyr
o'r stad druenus oedd arni'n cyrraedd.
Sut hynny? Fedrai Poli ddim credu'r peth.

Oedd hi newydd wylio ei phennaeth,
Mrs Blaidd, yn cyfathrebu â'r gwningen
yn ei hiaith ei hun?

"Mi fyddi di wrth dy fodd yma,
Gwyn," meddai Mrs Blaidd, yn amlwg
wedi enwi'r gwningen oherwydd ei chôt
o ffwr gwyn. "Mae'r cwningod i gyd yn
garedig iawn yma," meddai.

"Twm! Trystan! Hywyn!" galwodd
Mrs Blaidd. Roedd Poli wedi drysu'n lân
ac yn hanner disgwyl gweld bechgyn ei

dosbarth yn rhedeg draw ati, yn union
fel roedden nhw'n ei wneud pan oedden
nhw'n disgwyl llond ceg gan Mrs Blaidd
am fod yn hwyr yn dod i mewn i'r ysgol
ar ôl cinio. Rhy brysur yn cicio pêl i
sylweddoli fod y gloch wedi canu oedden
nhw fel arfer. Ond nid y Twm, Trystan a'r
Hywyn roedd hi'n eu hadnabod mor dda
a ddaeth i'r golwg, ond tair o gwningod
â'u clustiau'n llusgo'r llawr, yn hercio'n
ufudd tuag at Mrs Blaidd.

"Dewch i gyfarfod aelod newydd y
teulu, sef Gwyn," meddai gan godi Twm,
Trystan a Hywyn fesul un ar y bwrdd
at Gwyn. Roedd cwningod eraill wedi
dod draw ati hefyd, fel petaen nhw wedi
clywed am y gwningen newydd oedd
wedi dod i'w plith.

"Dyma Tomos," meddai gan gyflwyno
cwningen fechan arall, "a Catrin Mai,
Cadi, Llio a Brengain."

Roedd y rhain hefyd yn enwau ar
ferched oedd yn ei dosbarth hi, ac aeth

Mrs Blaidd yn ei blaen i restru mwy o enwau – pob un yn gyfarwydd i Poli fel enw plentyn o'i hysgol hi.

"Ond paid â phoeni'n ormodol am Hafwen Haf os ydy hi'n dy anwybyddu di," meddai Mrs Blaidd wrth Gwyn. "Mae'n gallu bod yn ddigon cenfigennus pan mae rhywun arall yn cael sylw."

Roedd hyn yn anhygoel! Roedd Poli a phawb yn ei dosbarth yn credu'n gryf fod Mrs Blaidd yn eu casáu nhw â chas perffaith ac yn cynllunio i'w cloi nhw yn ei stordy. Ond roedd ganddi, mewn gwirionedd, gymaint o feddwl ohonyn nhw nes ei bod wedi enwi ei hanwyliaid ei hun ar eu holau nhw, bob un!

Sylwodd Poli fod un gwningen â golwg ychydig yn flêr arni wedi dod i'r gegin ac yn cario tamaid o foronen yn ei cheg. Chwerthin am ei phen wnaeth Mrs Blaidd gan ei chodi'n annwyl i'w rhoi ar y bwrdd.

"A chofia, Gwyn, mi fedri di bob

amser ddibynnu ar Poli fan hyn i fod yn garedig ac yn ffyddlon."

Poli? Roedd ganddi gwningen wedi ei henwi ar ei hôl hi hefyd! Allai Poli ddim credu'r peth, ac yn fwy na hynny, fod gan Mrs Blaidd dipyn o feddwl o'r gwningen fach honno!

"O'r rhain i gyd, Poli ydy'r un y gelli di bob amser ddibynnu arni," eglurodd Mrs Blaidd wrth Gwyn, â gwên ar ei hwyneb.

"Mae'n garedig, yn ddoniol ac yn glyfar hefyd yn ei ffordd ei hun, er nad oes ganddi hi syniad yn y byd ei bod hi," meddai Mrs Blaidd a rhoi mwythau i Poli'r gwningen ar ei phen. "Dyna sy'n ei gwneud hi mor arbennig."

Athro 4 : Mrs Bleddyn

Enw Llawn: Mrs Blodwen Bleddyn

Oed: Tua 83?

Hoff ddillad: Sodlau uchel fel ei bod fel cawres wrth ymyl y plant.

Cyfeiriad: Bryn Bwnis, Llan-lliw (Tŷ pinc!)

Diddordebau: ~~Dychryn plant (a rhieni)~~. Gwneud yn siŵr bod pob plentyn yn yr ysgol yn gwneud ei orau ac yn llwyddo. Ei phrif ddiddordeb ydy magu a gofalu am lond lle o gwningod - pob un ohonyn nhw'n werth y byd iddi.

Ffeithiau: Mae hi wedi bod yn bennaeth ar Ysgol Gynradd Llan-lliw ers rhai canrifoedd ac wedi dysgu'r rhan fwyaf o rieni'r dref. ~~Does neb eisiau ei chroesi, yn enwedig ar ôl iddi, yn ôl y sôn, gloi mab i ffrind modryb cefnder nain y dyn oedd yn byw drws nesaf i Tomos (oedd yn yr un dosbarth â Poli) yn y stordy am benwythnos cyfan. Cosb am roi min ar ei bensil yn ei dosbarth a methu'r bin wrth naddu oedd hon.~~

Diolch am hynny, Mrs Bleddyn!

Mae ganddi'r ddawn arbennig o allu siarad â chwningod, ac mae'n mynd y filltir ychwanegol bob tro i wneud yn siŵr bod ei chwningod yn cael y cartref a'r gofal gorau a hapusaf posib!

(Hefyd, mae hi wedi colli ei phwrs, ond mae o yn y pot blodau sydd o dan ffenest ei chegin!)

12
Y project, drafft 2

Yn dilyn yr holl waith ymchwil dros y dyddiau diwethaf ac ar ôl ailedrych ar y newidiadau fu'n rhaid iddi eu gwneud, cydiodd Poli yng nghlawr ei phroject, ei sgrwnsio'n belen dynn a'i daflu i'r bin.

Roedd cymaint o newidiadau i'w gwneud i'r clawr fel y penderfynodd ei ailddrafftio a dechrau eto.

Project Poli

Mae gen i BARCH at athrawon!

Astudiaeth o athrawon a'u bywydau anhygoel y tu allan i'r ysgol.

Tystiolaeth gadarn pam na ddylen ni BYTH farnu rhywun ar yr olwg gyntaf!

Yr unig broblem oedd nad oedd y teitl newydd yn cyd-fynd ag unrhyw un o'r opsiynau roedd Mr Llwyd wedi eu rhoi iddyn nhw ar gyfer y gwaith cartref. Er hynny, roedd Poli'n gobeithio na fyddai hynny'n broblem rhy fawr i'r clown hwnnw o athro!